Textes de Claude Clément, Marie-Odile Judes,
Dolorès Mora, Ann Rocard, Marie-Sabine Roger,
Béatrice Rouer.

Illustrations de Serge Ceccarelli,
Christel Desmoinaux, Catherine Dieudonné,
Mérel, Philippe Pauzin, Évelyne Rivet,
Patrick Royer.

Couverture illustrée par Marie-Laure Viney.

Chaque soir une petite histoire

Editions Lito

Caramel

Béatrice Rouer
Illustrations de Christel Desmoinaux

Quand il sera grand, plus tard, Martin fera un très beau métier : clown sur un cheval ! C'est décidé depuis longtemps, et ça ne changera pas.

Clown, c'est facile, Martin le fait déjà très bien. Mais clown sur un cheval, c'est bien plus compliqué. Il faut un cheval et il faut savoir monter dessus...

Voilà ce que pense Martin ce soir-là, en rentrant de l'école. Il vient de passer devant le poney-club et comme toujours, cela le rend un peu triste : il aimerait tellement avoir un poney chez lui, un beau poney tout doux qui...

Hop, Martin n'a pas le temps de penser plus : son beau poney tout doux vient de passer juste devant lui au grand galop. Et là-bas, très loin, il entend des voix :

— Caramel, Caramel s'est sauvé ! Vite, rattrapez-le ! Il est parti par là, allons-y...

Les voix se trompent. Caramel n'est pas parti par là, mais par ici, juste devant Martin, au bout de la rue. Et pour le moment, il s'est arrêté pour manger des pommes dans un jardin.

Tout doucement, Martin s'approche. Caramel ne fait pas attention : les pommes sont si bonnes. Martin lui caresse le museau. Il lui parle gentiment. Caramel en oublie de se sauver. Alors Martin tire sur sa longe et l'emmène.

Vous pensez qu'il ramène Caramel au poney-club ? Eh bien non, pas du tout ! Martin ne ramène pas Caramel dans son écurie.

Il a décidé de le ramener chez lui, à sa maison.

Et les voilà partis tous les deux.

Caramel est gentil, il s'arrête quand le feu est rouge, il traverse dans les passages cloutés, il reste sur le trottoir, et par chance, il fait ses petits besoins dans le caniveau !

Martin habite une maison moderne avec un jardin. Il y a aussi un garage. Mais on n'y met jamais la voiture : les poussettes, les vélos, la luge, la tondeuse, le congélateur etc. prennent bien trop de place. « Bah, se dit Martin, j'arriverai bien quand même à loger Caramel dans tout ce bric-à-brac. »

Tout doucement, sans faire de bruit, il ouvre la porte. Puis il va chercher son chapeau de clown, son gros nez rouge et, avec Caramel, il s'entraîne à être clown sur un cheval.

Un peu plus tard, cette nuit-là, tout le monde dort dans la maison. Enfin, presque tout le monde. Parce que Caramel est réveillé. Hiiiiiiiii, Caramel se demande où il est, Caramel hennit.

— Tu entends, dit la maman de Martin à son mari, on dirait qu'il y a un cheval dans notre garage…

— Mais non, voyons chérie, c'est impossible. C'est plutôt notre voisin qui joue du violon…

Martin, lui, sait bien que le voisin ne joue pas du violon. Vite, en trois bonds, il sort de son lit, attrape sa couette et son ours chéri, et file au garage. Il faut rassurer Caramel. Martin se serre tout contre lui, le prend par le cou et lui chuchote tendrement que demain, ils vont bien s'amuser tous les deux.

Au matin, driiing, les parents de Martin se réveillent tôt. Son papa entre dans la cuisine pour le petit déjeuner. Il n'y a plus de pain. Il faut aller en chercher dans le congélateur. Le congélateur qui est dans le garage… Mais quand le papa de Martin ouvre la porte, il se frotte trois fois les yeux : son fils est là, endormi, blotti contre… contre un poney !

En entendant du bruit, l'animal et le petit garçon se sont réveillés. Martin a très peur de son père, et Caramel hennit tout doucement. Mais brusquement, le papa de Martin part d'un énorme éclat de rire et il dit :

— Ça oui, Martin, tu es un sacré clown !

Puis il ajoute :

— Dans le fond, tu as raison, un clown sur un cheval doit pouvoir s'entraîner.

Alors, il attrape son fils par la main et Caramel par sa longe. En route pour le poney-club! À partir d'aujourd'hui, Martin sera inscrit aux leçons du mercredi !

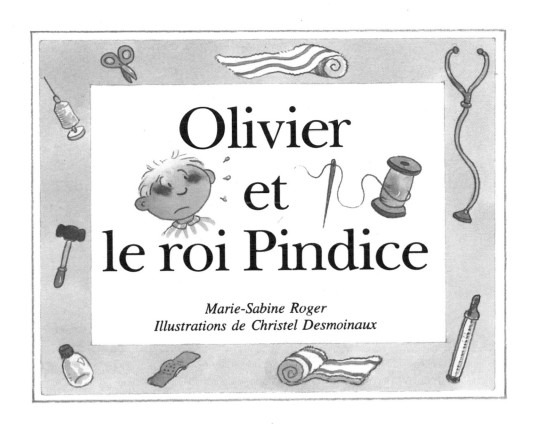

Olivier
et
le roi Pindice

Marie-Sabine Roger
Illustrations de Christel Desmoinaux

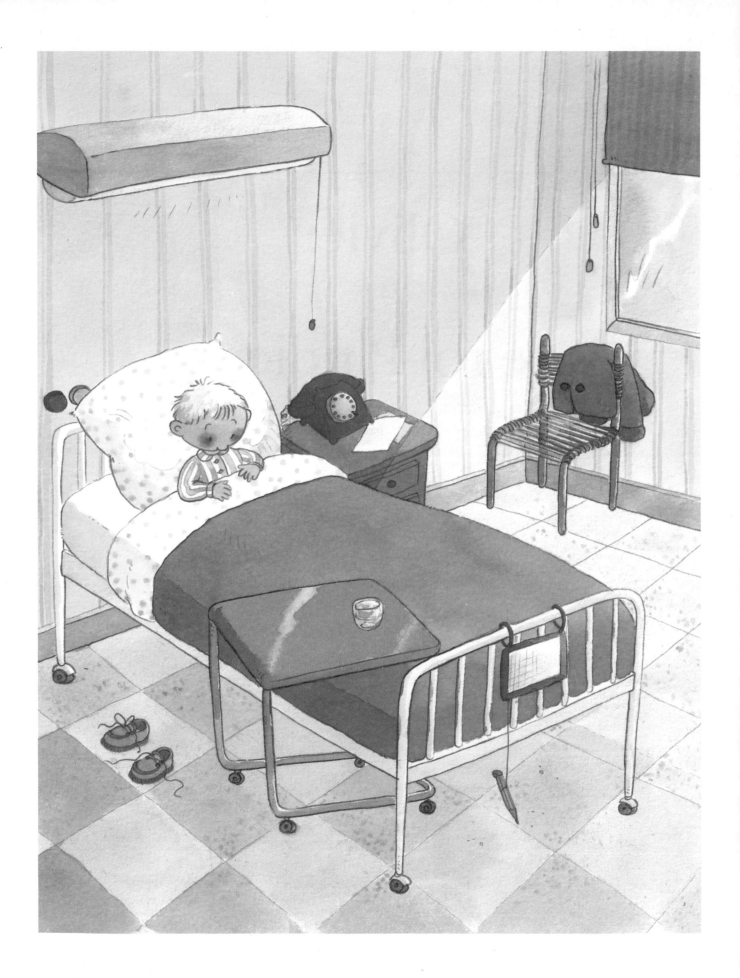

Le petit Olivier est couché dans un lit tout blanc. Il n'arrive pas à dormir.

Il est arrivé tout à l'heure à l'hôpital, avec un peu de fièvre et un gros mal de tête. Le docteur l'a regardé, ausculté, palpé dans tous les sens, il a hoché la tête et a dit à sa maman :

— On va le mettre en chirurgie, c'est l'appendicite !

Puis on a emmené Olivier dans cette chambre bizarre avec un lit à roulettes, une table de nuit avec un téléphone et des bouchons rouge et vert qui sortent du mur, derrière l'oreiller.

Maintenant Olivier a faim. Maman est allée chercher sa brosse à dents et Nounours, à la maison.

« Chirurgie, pindicite, chirurgie, pindicite... » Les mots tournent dans sa tête. Qu'est-ce que c'est, une pindicite ? Et la chirurgie où on doit le mettre, c'est quoi ? Une grosse boîte ?

Olivier n'a plus mal à la tête, on lui a donné un cachet. Mais il se sent un peu seul, pas trop rassuré... On dirait même qu'il va pleurer... Oui, c'est bien une petite larme qui commence à mouiller son œil...

— Eh bien ! Eh bien ! On pleure ? Un grand garçon comme toi ? demande soudain une petite voix aiguë derrière sa tête.

Olivier se retourne... Il ne voit rien.

— Quand même, à ton âge, on ne pleure pas !... dit une autre voix, un peu plus grave.

Olivier sursaute, il se met à genoux sur

son lit et regarde partout : les barreaux du lit, la veilleuse, la table de nuit, les tuyaux...

Les bouchons ! Sur les deux gros bouchons vissés dans le mur, le rouge et le vert, se tiennent deux drôles de personnages...

Un petit roi (mais alors là, tout petit petit !) et une petite reine (mais carrément minuscule !)

Ils ont tout, comme les vrais rois : la couronne, le bâton (comment dit-on, déjà ? Ah oui ! Le sceptre !), le manteau avec de la fourrure autour, tout l'attirail... Mais de haut en bas, gros comme des suppositoires !

— Vous êtes qui ? demande Olivier.

— Je suis la reine Chirurgie, dit la petite bonne femme, et elle fait coucou de sa main potelée.

— Et moi, le roi Pindice ! fait le roi en soulevant légèrement sa couronne du bout de son sceptre, pour saluer.

— Moi, c'est Olivier. On m'a dit que j'ai la pindicite, et j'attends maman et Nounours.

— Nous le savons ! Nous le savons ! disent ensemble le roi et la reine.

— Qu'est-ce qu'on va me faire, dites ? demande Olivier d'une petite voix inquiète.

Le roi saute sur le lit, et tend galamment la main à la reine, afin qu'elle le rejoigne.

— Qu'est-ce qu'on va te faire ? Oh, pas grand-chose : on va juste t'enlever un tout petit morceau de bout de truc qui ne te sert plus à rien, et qui te rend malade. Et cette petite chose s'appelle l'appendice.

— Et où elle est, cette pindice ?

— Couche-toi, dit la reine, on va te montrer…

Olivier, surpris, s'allonge sagement sur le dos.

— Bon, relève ton haut de pyjama, j'arrive, dit le roi.

Olivier retrousse sa veste.

Le roi grimpe jusqu'à son ventre en s'agrippant à son pantalon.

— Pffff ! C'est haut ! Ce n'est plus… de mon… de mon âge… dit-il tout essoufflé. Et se penchant vers la reine, qui l'attend sur le matelas, il crie :

— Restez en bas, très chère ! Cette ascension est éreintante !

Puis le roi Pindice va se placer sur le ventre d'Olivier, à droite du nombril, en descendant. Il semble chercher quelque chose, marche, compte ses pas, puis enfin s'arrête.

— Voilà, dit-il, c'est là ! Et il tapote un endroit avec son sceptre.

Olivier éclate de rire.

— Hé ! Arrête ! Tu me chatouilles !

— C'est là que se situe l'appendice. Là-dessous.

— Et comment on va « la » faire sortir ?

Le roi toussote.

— Hum ! Hum. On va te faire un trou.

— Un trou ? s'écrie Olivier.

— Oui, mais tout petit, dit précipitamment le roi. À peine de là à là, tu vois ? Pas plus grand !

— Mais comment on va me le faire, ce trou ? Avec quoi ?

— Ceci, crie la reine depuis le matelas, est l'affaire de la chirurgie !

— C'est toi qui vas me faire un trou ? demande Olivier d'un air soupçonneux.

— Non, ce sont mes ingénieurs, dit la reine. On les appelle des chirurgiens.

— Mais je vais avoir mal, moi ! gémit Olivier.

— Non, non, non ! répond le roi en secouant la tête. Non, non, non ! parce que tu dormiras !

— Je « dormira » ?

— Eh oui ! Demain matin, on ne te donnera rien à boire, ni à manger. On viendra te chercher, on te mettra sur un lit à roulettes qui s'appelle un chariot, on te descendra par l'ascenseur jusqu'à une pièce peinte en vert, où il fait un peu froid. Là, il y aura des messieurs habillés en vert, eux aussi. Ils te feront une toute petite piqûre que l'on ne sent même pas. Cela s'appelle l'anesthésie. Tu fermeras les yeux tout de suite, et tu les rouvriras ici, dans ce lit, avec ta maman près de toi et Nounours sur ton oreiller. Et ce sera fini : tu n'auras plus l'appendicite.

— Plus jamais ?

— Jamais plus !

— Et le trou ? Ils vont me le reboucher comment, tes chirurgiciens ?

— Chi-rur-giens, articule la reine ; et elle ajoute : ils vont te recoudre.

— Me quoi ?

— Te recoudre ! répète le roi.

— Avec du fil et une aiguille ?

— Parfaitement.

— Comme un pantalon déchiré, alors ?

— Exactement !

— Haha ! Hoho ! Olivier a le fou rire. Comme un panta-haha-lon ! Déchi-hihi-ré !

Le roi et la reine sont tellement secoués par les rires du petit garçon qu'ils roulent sur les couvertures et finissent par dégringoler au bas du lit.

— Oh pa-haha-rdon ! dit Olivier entre deux éclats de rire.

Et il se met à quatre pattes sous le lit pour chercher Chirurgie et Pindice.

Le roi est tombé sur les fesses et sa couronne est de travers. La reine a roulé cul par-dessus tête, sa robe lui couvre la figure et elle agite ses jambes dans tous les sens.

Olivier prend délicatement la reine entre le pouce et l'index droits, le roi entre le pouce et l'index gauches.

Il les repose doucement sur la table de nuit.

— Vous vous êtes fait mal ?

— Non, non, rassure-toi ! répond Chirurgie en s'époussetant.

— Eh bien, mon garçon, nous allons te laisser, dit le roi. Il y a dans l'hôpital d'autres petits enfants que l'on doit opérer demain de l'appendicite...

Et le roi et la reine se mettent à descendre en se laissant glisser le long du fil du téléphone.

Olivier entend encore la petite voix de la reine qui lui crie :

— Souviens-toi : une toute petite piqûre et pfffuitt ! On dort et on ne sent rien du tout !

À ce moment-là, maman entre dans la chambre avec Nounours.

— Alors mon poussin ? Cela n'a pas été trop long ? Tu ne t'es pas ennuyé en m'attendant ?

— Non, non ! fait Olivier.

Maman pose Nounours sur le lit, puis elle dit :

— Écoute, je vais t'expliquer ce que l'on va te faire, demain...

— C'est pas la peine, je sais tout !

Et Olivier explique à maman le petit bout de machin de chose qui se trouve là et qu'on va enlever, et les chirurgiciens, la piqûre de nestézie, le trou, le fil, l'aiguille, le pantalon déchiré, et tout ça.

Puis il fait un bisou à maman et, se retournant pour dormir, il soupire :

— T'as pas de quoi t'inquiéter, tu sais, c'est vraiment pas grave, une pindicite !

Les malheurs de de l'oncle Lavarice

Ann Rocard
Illustrations de Christel Desmoinaux

L'oncle Lavarice possède une immense maison et une montagne de pièces d'or. Mais il est avare, terriblement avare, affreusement avare ! Il a toujours peur qu'on vienne chez lui pour le voler.

Ce matin, l'oncle Lavarice fait les cent pas dans son salon et il s'inquiète :

— Oh, oh ! Par le diamant du Grand Ciboulo ! Si l'on me prenait ce magnifique vase sculpté ?

Si l'on me volait mes lunettes argentées ?

Si l'on me chipait ma paire de souliers ?

Si l'on me dérobait mon pyjama doré ?

Et si l'on mangeait mon gâteau préféré : mon baba au chocolat ?

L'oncle Lavarice jette un coup d'œil par la fenêtre : n'y a-t-il pas un voleur debout devant la porte ?

— Non... Je ne vois personne, grogne-t-il. Mais il s'est peut-être caché. Il vaut mieux me méfier.

Alors l'oncle Lavarice ramasse tous ses trésors, tous ses objets précieux, tout ce qu'il possède : même son pyjama doré et son gâteau préféré... et il les range vite, très vite, dans le grand coffre de la salle à manger.

Clic clac cloc ! Trois tours de clef et le coffre est fermé !

L'oncle Lavarice soupire. Hi hi hi... Le voleur peut toujours courir !

Pourtant, le voilà qui s'inquiète à nouveau :

— Oh, oh ! Par le diamant du Grand Ciboulo ! Si l'on me volait la clef du

coffre de ma salle à manger... tout ce que j'ai rangé dedans disparaîtrait !

L'oncle Lavarice fouille dans sa poche et il en sort un mouchoir blanc dans lequel il enveloppe la précieuse clef.

Une clef dans un mouchoir blanc...

Est-ce suffisant ?

Non ! L'oncle Lavarice roule ses yeux ronds comme des ballons et il court vers la cuisine. Il vide une grosse boîte d'allumettes et il range le mouchoir dedans.

Une clef dans un mouchoir blanc dans une boîte d'allumettes...

— Par le diamant du Grand Ciboulo ! s'écrie l'oncle Lavarice en grinçant ses dents pointues. Et si quelqu'un prend ma boîte d'allumettes ? Je suis perdu, je suis fichu...

L'oncle Lavarice va aussitôt chercher un petit sac en papier.

Une clef dans un mouchoir blanc
dans une boîte d'allumettes
dans un petit sac en papier…

Pauvre oncle Lavarice ! Il est de plus en plus inquiet. Il se tord les mains, il se ronge les ongles et il bredouille :

— J'en… j'entends un voleur de sasasa… un voleur de sac !

Vite, il saute dans sa chambre et il attrape une vieille chaussette râpée.

Une clef dans un mouchoir blanc
dans une boîte d'allumettes
dans un petit sac en papier
dans une vieille chaussette râpée…

Est-ce vraiment assez ?

— Non, non et trois fois non ! Par le grand Ciboulon, je deviens fon… je deviens fou ! gémit l'oncle Lavarice qui s'élance dans l'escalier de la cave.

C'est là que sont rangées toutes les boîtes à chaussures vides qu'il n'a jamais voulu jeter. La boîte de 1969 est juste de la bonne taille !

Une clef dans un mouchoir blanc
dans une boîte d'allumettes
dans un petit sac en papier
dans une vieille chaussette râpée
dans une boîte en carton…

L'oncle Lavarice bondit d'une pièce à l'autre. Il imagine un collectionneur de boîtes attrapant justement la sienne à l'aide d'une canne à pêche.

— Où est ma valise ? s'écrie l'oncle Lavarice.

Il saisit une petite valise grise et il y place la boîte en carton. Puis il range le tout dans un coffre secret caché sous l'escalier.

Il ferme le deuxième coffre avec une clef noire et il jette celle-ci dans la rivière qui passe devant sa fenêtre.

Une clef dans un mouchoir blanc
dans une boîte d'allumettes
dans un petit sac en papier
dans une vieille chaussette râpée
dans une boîte en carton
dans une petite valise grise
dans un coffre secret
dont la clef noire a été jetée…

L'oncle Lavarice danse de joie. Hourra ! il est enfin sauvé !

— Oh oh ! Par le diamant du Grand

Ciboulo, je vais pouvoir savourer mon délicieux gâteau !

Mais dans la cuisine, plus de baba au chocolat !

L'oncle Lavarice est très étonné :

— Bizarre bizarre… Je suis pourtant sûr de ne pas l'avoir mangé…

Il réfléchit, réfléchit :

— Ah c'est vrai ! Je l'ai rangé dans le grand coffre ! Et où donc ai-je mis la clef ?

Une clef dans un mouchoir blanc
dans une boîte d'allumettes
dans un petit sac en papier
dans une vieille chaussette râpée
dans une boîte en carton
dans une petite valise grise
dans un coffre secret
dont la clef noire a été jetée…

L'oncle Lavarice se précipite vers la fenêtre et il regarde avec désespoir la rivière où il a justement lancé la clef !

Oh oh… par le diamant du Grand Ciboulo, plus de gâteau pour son dîner ! Pas de baba au chocolat ! L'oncle Lavarice est bien attrapé ! Peut-être sera-t-il moins avare la prochaine fois ?

Le petit poisson Carillon

Ann Rocard
Illustrations de Christel Desmoinaux

Carillon est un petit poisson. Il vit au fond de la mer, très loin d'ici, de l'autre côté de la terre.

Autour de lui dansent des milliers de poissons de toutes les couleurs. Mais lui, Carillon, est simplement jaune comme un citron.

Derrière la grande barrière de corail, personne ne fait attention à lui. De temps en temps, il interroge Siméon, un gros poisson rayé :

— Dis-moi, est-ce que la mer est si grande qu'on ne peut jamais en voir la fin ?

— Tais-toi donc polisson ! grogne le gros poisson.

— Va nager plus loin, ajoute son voisin. Tu nous agaces avec toutes tes questions.

Alors Carillon s'éloigne en clignant des yeux pour ne pas pleurer.

Mais ce matin, il en a vraiment assez, et il décide :

— Personne ne veut m'écouter ? Tant pis… Moi, je m'en vais !

Zip ! Il fait un tour sur lui-même. Il agite ses nageoires minuscules et il quitte pour toujours la barrière de corail.

Le petit poisson écarquille les yeux : il n'a jamais vu autant de choses nouvelles à la fois.

Des dauphins le saluent au passage. Des anguilles se tortillent entre les algues. Des langoustes font la galipette.

Tout à coup, Carillon aperçoit un vieux bateau recouvert de mousse verte, un bateau qui a dû couler à cet endroit-là, il y a de très nombreuses années.

— Pour moi, ce sera un vrai château ! dit le petit poisson. Je vais m'y installer.

Zip ! D'un coup de nageoire, il s'approche du bateau et il entre à l'intérieur de la coque par un hublot, une fenêtre ronde.

Attention Carillon ! Attention ! Cette pièce-là est déjà occupée !

Mais le petit poisson ne se rend compte de rien : il continue de nager…

Soudain, une bouche remplie de mille petites dents pointues s'ouvre à côté de lui.

— Qui êtes-vous ? s'étonne Carillon.

— Une féroce murène ! gronde l'animal. Tu n'as pas peur de moi ?

Le petit poisson secoue la tête :

— Je ne sais pas… Je ne vous connais pas.

— Eh eh eh, ricane la murène. Maintenant, tu me connais et je vais te manger.

Zip ! Carillon fait aussitôt demi-tour. Il se cache derrière un mur.

Et vite, il s'échappe par le hublot.

Il agite ses nageoires si fort qu'il dépasse le vieux bateau. Il monte de plus en plus haut… Il ne prend même pas le temps de se reposer.

Et hop ! Il bondit au-dessus de la surface de l'eau.

— Ça alors ! s'écrie Carillon. Je rêve ou je suis peut-être mort…

Le petit poisson vient d'apercevoir une plage recouverte de sable doré, des palmiers, des fleurs et une énorme boule jaune qui brille dans le ciel.

Plouf ! Carillon retombe dans la mer. Très intrigué, il pointe la tête hors de l'eau et il entend une voix qui sifflote :

— Mais non, petit poisson ! Tu ne rêves pas et tu n'es pas mort !

Bizarre, qui siffle ainsi ? La boule jaune, les arbres, ou la plage ?

— C'est moi, Pipo l'oiseau ! Je vole juste au-dessus de ta tête !

Carillon lève les yeux et il dit à l'oiseau rouge et bleu :

— Attends-moi, j'arrive !

Zip zip zip ! Il agite ses nageoires le plus vite possible… Mais rien à faire ! Il n'arrive même plus à sauter comme la première fois.

Alors, le petit poisson déçu redescend au fond de la mer. Il retrouve le vieux bateau. Il ne s'approche surtout pas du hublot de la murène…

Et il pense au pays de l'oiseau.

Bloup bloup… Tout à coup, un drôle de bruit lui fait tourner la tête.

De grosses bulles s'échappent du vieux bateau et montent lentement vers la surface de l'eau.

— Qu'est-ce que c'est ? s'étonne Carillon.

— Ce sont des bulles magiques, explique un petit crabe.

Le poisson n'en revient pas :

— Des bulles magiques !

— Oui, dit le petit crabe. Elles vous emmènent en voyage, si vous avez du courage…

— Tu as déjà essayé ? demande Carillon.

— Oh non ! Je suis beaucoup trop peureux, avoue le crabe.

Pendant toute la nuit, Carillon réfléchit, réfléchit… Lui non plus n'est pas très courageux.

Puis au matin, il décide d'essayer. Il s'approche d'une bulle et fonce droit sur elle, la tête la première. Paf ! La bulle éclate et Carillon est projeté en arrière.

— À ta place, j'abandonnerais ! conseille le petit crabe.

— Sûrement pas ! dit Carillon.

Le poisson s'approche d'une deuxième bulle. Zip zip zip ! Il tourne trois fois autour, puis il essaie de la percer du bout de sa nageoire.

Paf ! La deuxième bulle éclate.

— À ta place, j'abandonnerais ! répète le petit crabe.

— Sûrement pas ! dit Carillon.

Le poisson choisit une troisième bulle, plus grosse que les deux premières. Et avec précaution, il y pénètre à reculons.

Ça y est : il a réussi ! La bulle s'élève lentement vers la surface de l'eau, emportant Carillon.

— À ta place, j'abandonnerais ! crie le petit crabe.

— Sûrement pas ! dit le poisson ravi.

La bulle va bientôt quitter la mer.

Carillon ouvre grands ses yeux. Il retrouve le pays de l'oiseau.

— Ah ! Te revoilà ! sifflote Pipo.

Le vent emporte la bulle un peu plus loin. L'oiseau rouge et bleu la suit en riant.

Carillon, lui, est un peu inquiet. La bulle va-t-elle heurter un palmier et éclater ?

— Ne t'en fais pas ! dit Pipo. Elle a l'air très solide.

Ainsi, Carillon et l'oiseau font le tour

de la terre. Ils survolent les villes, les rivières, les plaines et même les hautes montagnes enneigées.

Puis un soir, le ciel devient plus sombre. Et Carillon dit à l'oiseau :

— Je vais continuer mon long voyage. Promets-moi de ne pas être triste si je m'en vais.

— Je te le promets, murmure Pipo.

L'oiseau rouge et bleu se perche sur une branche et il regarde le petit poisson dans sa bulle qui s'élève de plus en plus haut... plus haut que les nuages, tout là-haut jusqu'aux étoiles d'or.

— Bon voyage Carillon, bon voyage, sifflote Pipo.

Maintenant, chaque soir, l'oiseau rouge et bleu regarde les étoiles. Il se met à siffler ; il sait que sa chanson va monter jusqu'au ciel. Il sait que l'une de ces étoiles est son ami le poisson jaune qui poursuit son long voyage.

— Au revoir Carillon, au revoir !

Un jour peut-être, le petit poisson reviendra chercher l'oiseau Pipo et tous les deux ne se quitteront plus jamais.

La fourmi Rikiki et le magicien

Ann Rocard
Illustrations de Christel Desmoinaux

Dans la grande fourmilière vivent des milliers de fourmis noires qui courent dans tous les sens.

La plus petite fourmi de la fourmilière s'appelle Rikiki.

Quand on lui demande ce qu'elle voudrait faire, elle répond sans réfléchir :

— J'aimerais bien devenir reine et pondre des œufs toute la journée !

Mais les autres fourmis éclatent de rire :

— Hi, hi, hi ! Rikiki, tu es minuscule ! Tu es ridicule !

Ou parfois, la petite fourmi répond :

— Je voudrais devenir chef des gardes et surveiller les ennemis !

Mais les autres fourmis éclatent encore de rire et répètent :

— Hi, hi, hi ! Rikiki, tu es minuscule ! Tu es ridicule !

Un matin, la fourmi Rikiki décide de quitter la fourmilière. Elle prépare son baluchon et elle s'éloigne, en trottinant sur le chemin.

Soudain, une ombre se dresse devant elle. Un grand magicien, coiffé d'un chapeau pointu, la prend délicatement entre deux doigts et lui demande :

— Où vas-tu, minuscule fourmi ?

— Je pars à la découverte du monde, explique Rikiki. Malheureusement, je suis beaucoup trop petite pour y arriver.

Le grand magicien sort une baguette magique de sa poche et il murmure :

— Moi, le grand Lucien, je peux tout

transformer. Dis-moi ce que tu voudrais être et je le ferai !

Sans même réfléchir, Rikiki répond :

— Je voudrais devenir très grande : plus grande qu'une reine des fourmis, plus grande qu'une souris, plus grosse qu'un melon, encore plus haute qu'une maison !

Turlutoto turlututu chapeau pointu ! Le magicien agite sa baguette… Aussitôt Rikiki grandit, grossit… et devient une fourmi géante, la tête dans les nuages.

Elle aperçoit une rivière, une ville et des collines. Elle a un peu l'impression d'être devenue un drôle d'oiseau, volant dans le ciel là-haut.

— Ohé les amis ! crie Rikiki. Regardez-moi ! Écoutez-moi !

Mais personne ne lui répond. Pas une fourmi à l'horizon ! Rikiki ne voit même plus la fourmilière ; ses yeux sont trop loin de la terre.

Alors elle appelle le grand Lucien :
— Magicien ! Grand magicien ! Reviens ! Je veux redevenir une petite fourmi, et tant pis si l'on m'appelle Rikiki !

Le magicien fronce les sourcils :
— Tu as vraiment bien réfléchi ?

Rikiki fait oui de la tête. Partir en voyage, les antennes dans les nuages : c'est bien joli ! Mais à quoi ça sert si l'on n'a pas d'amis ?

Turlutoto turlututu chapeau pointu ! Le grand magicien agite sa baguette...

Aussitôt Rikiki atterrit dans la fourmilière, parmi les fourmis étonnées :
— Où étais-tu ? On t'a cherchée partout ! Viens vite avec nous !

Rikiki ne répond pas. Qui la croirait si elle racontait ce qui lui est arrivé ? Elle préfère garder dans un coin de sa tête, son secret et toutes les images qu'elle a vues du haut du ciel, du haut des nuages.

Sidoine
et
le vent

Marie-Sabine Roger
Illustrations de Philippe Pauzin

Sidoine est un petit fantôme. Timide. Très timide. Très très très timide. Et gentil. Très gentil. Très très très gentil. Il ne veut jamais faire peur aux gens. Il n'ose pas.

Son papa lui montre pourtant :

— Regarde, Sidoine, ce n'est pas compliqué ! Tu agites tes bras comme ceci, et tu secoues tes chaînes comme cela !

Et le papa agite ses bras, et secoue ses chaînes de façon effrayante, avec un bruit infernal, et cling ! et clang !

Mais Sidoine fait non, non, non avec la tête. Timidement. En regardant le bout de ses orteils.

Sa maman lui dit :

— Essaie, au moins, pour voir.

Sidoine ouvre de grands yeux tristes, et secoue un peu ses chaînes, en faisant un peu cling ! clang ! mais à peine… À peine.

Son papa lui explique encore :

— Écoute Sidoine, ce n'est pas difficile ! Fais comme moi !

Et le papa pousse des « bouhouhouhouhou… » à faire dresser les poils sur tout le corps.

Mais Sidoine fait non, non, non avec la tête. Gentiment. En baissant le nez.

Sa maman insiste :

— Sidoine ! Mon Sidou… Fais un effort…

Sidoine serre ses petits poings, respire un grand coup, ferme les yeux, et fait :

— Bouh ! d'une voix imperceptible.

Le papa et la maman se regardent d'un air désolé, et soupirent :

— Mais que faire de cet enfant ?
Que f'ra-t-il quand il s'ra plus grand ?
S'il ne veut pas être méchant ?
S'il ne veut pas fair' peur aux gens ?
Un fantôme c'est terrifiant !
C'est horrifiant ! C'est évident !…

Ce matin, Sidoine se promène dans le château, lorsque soudain il entend une voix sifflante qui fait : bouhouhouhououououou… « Chic et chouette, un copain ! » pense Sidoine.

Il grimpe l'escalier jusqu'en haut. Personne !

Il redescend. Personne !

Mais il entend toujours la voix qui insiste et chuintc : bouhouhouhouhouhouhouou…

Sidoine se cache dans le mur, ne laissant dépasser qu'un petit bout de drap. « Il finira bien par se montrer, ce fantôme qui se cache… » se dit-il. Il attend un peu, beaucoup, longtemps. En plein courant d'air.

Soudain, la voix de maman résonne dans l'escalier :

— Sidoine ! Sidou ! Ne reste pas là-haut, à jouer en plein mistral !

Alors Sidoine comprend : ce copain qui siffle et chuinte et couine et hulule, c'est le vent qui chante comme un fantôme.

Sidoine éclate d'un rire cristallin. Et timidement, essaie d'imiter le vent, en faisant : bouhouhouhouhouhouou, lui aussi.

Mais il ne s'entend pas, le vent fait trop de bruit. Alors il hulule plus fort, et plus fort encore :

— Bouhououou ! Bouhouhouhou !

Puis il virevolte, tourne sur lui-même et secoue ses chaînes : et cling ! et clang !

Ah, mais c'est amusant, finalement, de faire du bruit ! Et sur son passage, dans les escaliers et dans les couloirs, les souris se cachent, les lézards sursautent, les hiboux gonflent leurs plumes…

Et cling, et clang, et bouhouhouou !

Ah, mais c'est amusant, finalement, de faire peur aux gens !

Et cling et clang, et bouhouhouou ! Et bouhouhouhou, et cling et clang !

Les parents de Sidoine sont ébahis.

— C'est Sidoine qui fait le fou ?
Mais qu'a-t-il donc, notre Sidou ?
Qui lui a donc appris la leçon ?
Qui lui a enseigné la chanson
Qui fait cling et clang,
Qui fait bouhouhou ?
Voilà qu'il est un vrai fantôme,
Tout ce qu'il y a de plus normal !
Qui enfin fera peur aux hommes !
Mais grâce à qui ?

— Grâce au mistral ! répond Sidoine.

Une journée
dans la vie
de
Mélanie Michon

Claude Clément
Illustrations de Philippe Pauzin

Mélanie Michon habite en compagnie de sa mamie Michon dans une charmante maison, au milieu d'un joli jardin bordé par un petit chemin.

Tous les mercredis matin, au soleil sur un banc du jardin, Mélanie Michon s'exerce sur son violon pendant que sa mamie Michon fait des bocaux de cornichons, et que les autres filles et les garçons de la région jouent à cache-cache ou au ballon.

Chaque fois, Mélanie Michon joue du violon d'un air grognon. Pourtant, elle aime la musique… Ce qui la rend mélancolique, c'est que ses doigts sont trop petits ! Ce qu'elle joue n'est pas joli. Quelquefois, même ses amis disent qu'elle va faire venir la pluie.

Les écureuils, les hérissons, les grenouilles et les moutons n'aiment pas non plus sa chanson. Ils font trois bonds et puis s'en vont… C'est un peu triste pour Mélanie Michon !

Et justement, ce mercredi, elle joue si mal sa mélodie qu'elle fait soudain tomber la pluie.

Elle retourne dans sa maison et range vite son violon. Heureusement que mamie Michon a cuisiné des champignons et préparé des macarons ! Tout cela sent tellement bon que ça console un peu Mélanie Michon !

Au beau milieu du déjeuner, une voiture s'est arrêtée devant la grille du jardin, en bordure du petit chemin. Un monsieur coiffé d'une casquette vient agiter la sonnette… Il demande à mamie Michon si elle lui donne la permission de s'abriter dans la maison.

Le monsieur dit, très ennuyé :

— Ma voiture s'est détraquée. Je ne sais pas la réparer. Pourriez-vous téléphoner afin qu'on vienne la dépanner ?

Aimablement, mamie Michon téléphone à monsieur Ronchon qui vient avec tous ses outils réparer l'auto sous la pluie.

Le vieux monsieur hume les champignons et le parfum des macarons… Il s'écrie :

— Comme ça sent bon !

Alors, mamie et Mélanie Michon l'invitent sans façons à s'installer près de la cheminée pour partager leur déjeuner.

En grignotant un macaron, le vieux monsieur aperçoit le violon. Il demande à Mélanie Michon de jouer l'air d'une chanson. En rougissant, Mélanie Michon s'efforce de faire de son mieux et s'applique en fermant les yeux.

Quand la mélodie est finie, gaiement, le monsieur applaudit. Il félicite Mélanie Michon. Puis il prend à son tour le violon. Il joue… Et c'est une merveille !

Mélanie et sa mamie ne peuvent en croire leurs oreilles…

Alors, enfin, elles reconnaissent ce musicien plein de tendresse. Elles l'ont déjà vu à la télévision ! Le voici qui dit à Mélanie Michon :

— Ne t'en fais pas… Lorsque j'étais petit, je trouvais, moi aussi, que ce que je jouais n'était pas joli. Mes doigts étaient comme engourdis. Mais, peu à peu, j'ai appris à mieux jouer ma mélodie. Tu verras que pour toi aussi, tout se passera ainsi !

À la fin du déjeuner, quand la voiture a été réparée, le vieux monsieur est reparti. Il était tout à fait ravi !

Il a remercié mamie et fait deux bises à Mélanie. Puis il s'est éloigné du jardin en cahotant sur le chemin.

Alors, Mélanie Michon a repris doucement son violon. Elle a rejoué sa chanson… Et elle a eu comme l'impression qu'elle faisait de plus jolis sons ! D'ailleurs, les écureuils, les hérissons, les grenouilles et les moutons sont revenus vers la maison.

La pluie s'est arrêtée de tomber et Mélanie est sortie jouer à cache-cache et au ballon avec les filles et les garçons, tout autour de sa maison, au cœur de son joli jardin bordé par un petit chemin.

La princesse Lune

Ann Rocard
Illustrations de Philippe Pauzin

Il était une fois dans un lointain pays un roi très très vieux.

Un jour, il fit venir ses trois filles et il leur dit :

— Mes filles, je vais bientôt mourir… Comme je n'ai pas de fils, l'une de vous deviendra la reine du royaume.

Le roi ne savait pas laquelle choisir :

Marie était la plus grande, Isabeau était la plus maligne… Lune, la plus jeune, était la plus belle mais elle ne parlait pas ; elle n'avait jamais prononcé un mot.

Alors le roi décida :

— Partez faire le tour du monde ! La première qui reviendra ici me remplacera.

— Oui père ! dit Marie d'une voix forte.

— Oui père ! répéta Isabeau.

Lune hocha la tête mais elle ne put dire un mot.

Dès le lendemain, les trois sœurs quittèrent le château du roi.

Marie marchait vite, sans se fatiguer.

Isabeau découvrait des raccourcis.

Lune avançait lentement, observant les fleurs, les papillons et les oiseaux.

Soudain, Marie rencontra une vieille femme, assise au bord du chemin.

— Princesse, aide-moi… dit la vieille femme. Je suis fatiguée, fatiguée, fatiguée…

— Impossible ! s'écria la princesse Marie. Je n'ai pas le temps !

Et elle poursuivit sa route.

Peu après, Isabeau aperçut la vieille femme, assise au bord du chemin.

— Princesse, aide-moi… dit la vieille femme. Je suis fatiguée, fatiguée, fatiguée…

— Impossible ! s'écria la princesse Isabeau. Je n'ai pas le temps !

Et elle poursuivit sa route.

Quelques jours plus tard, Lune arriva au même endroit.

La vieille femme était toujours là.

— Princesse, aide-moi… Je suis fatiguée, fatiguée, fatiguée…

Sans hésiter, la princesse Lune s'approcha de la vieille femme et elle la souleva : qu'elle était légère ! On aurait dit une plume d'oiseau !

Lune sourit et elle se dirigea vers le plus proche village.

Alors, on entendit un bruit étrange : un battement d'ailes, une caresse de plumes... la vieille femme s'était transformée en aigle.

Le grand oiseau claqua du bec et il se posa près de la princesse Lune :

— Maintenant, c'est moi qui te porterai ! Nous ferons le tour de la terre et quand notre voyage sera terminé, tu deviendras reine et tu sauras parler.

La princesse Lune s'assit sur le dos de l'aigle.

Comme il l'avait dit, le grand oiseau s'envola... Il survola les montagnes glacées, les champs et les vallées, les rivières et les mers... Il fit le tour de la terre.

Un matin enfin, Lune aperçut le château de son père.

Comme l'aigle l'avait prédit, la princesse avait appris à parler et à chanter comme un oiseau.

Elle retrouva son père le roi et elle devint la reine du pays.

Et ses sœurs ? Personne ne les revit jamais.

On raconte que Lune vit encore et que chaque nuit, elle se promène au clair de lune sur le dos d'un grand oiseau.

Si tu la vois, regarde-la mais surtout n'en parle pas... car c'est un secret.

César
Dubazar

Ann Rocard
Illustrations de Philippe Pauzin

Au royaume Kominsouneuf vivait le roi César Dubazar.

Dans ce pays, tout était propre, impeccable. On rangeait, on lavait, on frottait sans arrêt les rues et les maisons, les autos et les camions. Pas un papier ne traînait sur le sol ! Pas une poubelle n'était renversée ! Kominsouneuf était le pays le plus propre du monde !

Le roi en était très fier. Quand il recevait les présidents, les rois et les reines des autres pays, il leur avouait :

— Je ne supporte pas la poussière, je ne supporte pas le bazar…

— Le bazar : qu'est-ce que c'est ? s'étonnaient les visiteurs.

— Le bazar, le désordre, le bric-à-brac, le fouillis, le micmac ! expliquait le roi César. Eh oui, je suis allergique au bazar !

C'était vrai ! Il ne supportait pas le désordre, il était allergique au désordre ! Quand il se trouvait en plein bazar, ses yeux le picotaient, ses lèvres tremblotaient, ses cheveux se dressaient tout droit sur le sommet de sa tête et son corps se couvrait de petits boutons verts.

Cézar Dubazar essaya de se faire soigner. Un jour, il réunit tous les médecins du royaume dans la grande salle du Conseil et il leur ordonna :

— Vous devez me guérir immédiatement ! Je ne supporte pas le bazar, je suis allergique au bazar !

Bazar ? Aussitôt, les docteurs feuilletèrent leurs gros livres :

B… comme Bacillus aerogenes capsulatus… ba comme ballonnement… ba comme ballottement… Mais pas de bazar : ça n'existait pas !

Le roi tapa du pied et s'impatienta :

— J'ai dit : im-mé-dia-te-ment !

— Le bazar : qu'est-ce que c'est ? demandèrent les médecins un peu honteux.

Le roi César haussa les épaules et il expliqua :

— Le bazar, le désordre, le bric-à-brac, le fouillis, le micmac ! Eh oui, je suis allergique au bazar !

On lui fit avaler des pilules de toutes les couleurs. On le piqua de la tête aux pieds et des pieds à la tête. On lui donna des suppositoires à la menthe, à la vanille ou au chocolat. Rien n'y fit ! Aucun docteur ne parvint à guérir le roi du pays Kominsouneuf !

— Tant pis ! s'écria César Dubazar. Mon pays est le plus propre du monde, mon pays est le mieux rangé du monde. Je me soignerai comme ça !

Kominsouneuf était en effet un pays impeccable. Et pourtant… Pourtant il y avait un endroit qui ne ressemblait pas au reste du royaume, un endroit où seul le roi pénétrait : c'était sa chambre !

Dès que le roi César tournait la poignée de la porte, ses yeux le picotaient. Quand il posait un pied sur le plancher, ses lèvres tremblotaient. Quand il se retrouvait à côté du grand lit, ses cheveux se dressaient tout droit sur le sommet de sa tête et son corps se couvrait de petits boutons verts.

Personne n'aurait pu imaginer ce qu'il y avait dans la chambre du roi ! C'était inimaginable, impensable !

Le lit n'était jamais fait, les tiroirs débordaient de vêtements chiffonnés, le bureau disparaissait sous une montagne de papiers gribouillés, de livres froissés, de crayons mal taillés… Et le tapis était couvert de cartons vides, de chaussettes sales, de lampes de poche sans piles, de téléphones sans fil…

Désordre, bric-à-brac, fouillis, mic-mac : aucun mot n'aurait pu décrire un bazar pareil ! C'était réellement épouvantable !

— Eh oui, gémissait le roi César. Je suis allergique au bazar.

Mais il ne savait pas ranger, il ne pouvait pas ranger… et il en avait tellement honte qu'il interdisait qu'on entre dans sa chambre.

De temps en temps, il prenait une grande décision :

— Aujourd'hui, je vais ranger ! Promis, juré !

Il ramassait les vêtements sales, il changeait les draps et les taies d'oreiller… Mais cela lui demandait un effort colossal ! Ses yeux le picotaient, ses lèvres tremblotaient, ses cheveux se tenaient tout droit sur le sommet de sa tête et son corps était couvert de petits boutons verts.

Au bout d'une heure, César Dubazar abandonnait ! Il courait jusqu'à la salle de bains, il plongeait dans une baignoire pleine de mousse et il attendait la disparition de tous les petits boutons.

Cette vie épouvantable aurait pu durer éternellement. Mais un jour, le roi reçut une princesse étrangère, la ravissante Élodie Dubalai.

César Dubazar écarquilla les yeux et son cœur bondit dans sa poitrine. Incapable de prononcer un mot, il lui fit visiter son royaume Kominsouneuf.

— Je n'ai jamais vu de pays aussi propre ! s'écria la princesse Élodie.

— Je je je… bégaya le roi César.

— Je n'ai jamais vu de pays aussi bien rangé ! ajouta la belle princesse.

Élodie Dubalai hocha la tête, elle se tourna vers le roi et elle éclata de rire :

— Vous vivez dans un pays extraordinaire et pourtant vous portez un drôle de nom ! César Dubazar, Dudésordre, Dubric-à-brac, Dufouillis, Dumicmac !

Le roi ferma les yeux. Il pensa à sa chambre inimaginable, épouvantable… et il soupira : jamais la princesse Élodie ne pourrait devenir la reine de son pays. Jamais il n'oserait lui montrer un endroit pareil. Et s'il essayait de remettre un peu d'ordre dans sa chambre à coucher ? Et s'il s'armait d'un aspirateur et de beaucoup de volonté ?

Le soir venu, César Dubazar accompagna Élodie Dubalai jusqu'à son hôtel. Puis il rentra chez lui et s'enferma dans sa chambre.

Il pensait si fort à la ravissante princesse que ses yeux le picotèrent un peu moins que d'habitude, ses lèvres ne tremblèrent presque pas, ses cheveux se dressèrent sur le sommet de sa tête, puis retombèrent mollement, et ses petits boutons virèrent rapidement au jaune pâle.

Le roi le remarqua aussitôt ! Et il se mit à ranger, ranger, ranger, en serrant les dents et en répétant :

— Promis, juré ! J'y arriverai, parole de roi ! J'y arriverai !

Hélas ! trois heures plus tard, César Dubazar, épuisé, s'écroula sur son lit et s'endormit profondément.

La chambre n'était plus la même. Les corbeilles à papier étaient pleines. Le tapis était couvert de tas bien organisés, les tiroirs et les armoires étaient presque fermés. On apercevait maintenant un coin du bureau et la poussière ne volait plus de tous les côtés. Malheureusement, le roi n'avait pas pu tenir sa promesse.

À ce moment-là, la porte s'ouvrit sans bruit et une silhouette entra sur la pointe des pieds. Elle ramassa, tria, rangea les paquets de vêtements, les piles de livres et de cahiers, tous les objets éparpillés. Elle tailla même les crayons !

À la fin de la nuit, Élodie Dubalai… car c'était elle ! sortit de la pièce et

referma la porte. Jamais la chambre du roi n'avait été aussi bien rangée !

Quand le roi César entrouvrit les yeux, il crut qu'il rêvait encore.

Plus de bazar ! Plus de désordre ni de bric-à-brac ! Plus de fouillis ni de micmac !

César Dubazar sauta sur le tapis et se précipita vers le grand miroir : ses cheveux ne se tenaient pas tout droit sur sa tête. Sur son corps, il n'y avait aucun bouton !

Alors le roi César ne se posa pas de questions : qui avait rangé ? Était-ce lui ? N'était-ce pas lui ? Il s'en moquait.

Il se leva, s'habilla le plus vite possible et il courut jusqu'à l'hôtel de la princesse Élodie…

Vous devinez la suite ? Le lendemain, on célébra le mariage de César Dubazar et de la ravissante Élodie Dubalai.

À partir de ce jour-là, tout le pays de Kominsouneuf fut rangé et nettoyé… même une certaine chambre à coucher !

Je voudrais un animal rien qu'à moi !

Ann Rocard
Illustrations de Philippe Pauzin

Je voudrais avoir un animal à moi. Je lui dirais mes secrets. Je le prendrais dans mes bras, tout doucement. Ce serait mon meilleur ami, mon meilleur copain. Je voudrais un animal à moi. Mais mes parents ne veulent pas.

Mon grand-père grogne :

— Ça sent mauvais !

Ma grand-mère dit avec un large sourire :

— Quand j'étais jeune, j'avais un chien invisible… C'était bien pratique !

Un chien invisible ? C'est idiot ! Pour être sûr qu'il soit bien là, on est obligé d'aboyer à sa place, on est obligé de lever une patte contre un arbre à sa place, on est obligé de tout faire à sa place : même de coucher dans une niche chez l'oncle Hector qui déteste les animaux !

Mon père hausse les épaules et soupire :

— Non ! C'est non ! Je te l'ai déjà dit cent fois !

Moi, je proteste, je ne comprends pas pourquoi il n'est pas d'accord. Et je promets en levant la main droite :

— Je m'en occuperai tout seul. Je le laverai. Je lui donnerai à manger ! C'est juré !

Mais mon père tourne les talons. Et ma mère ajoute :

— Tu ne te rends pas compte… Avoir un animal : quel travail !

Alors, je m'allonge sur mon lit et je rêve un peu. Je voudrais avoir un animal à moi.

Avec Julie l'otarie, on plongerait dans la baignoire, on ferait des concours de bulles. Pif ! Paf ! Paf ! Mille bulles éclateraient !

Avec Biclou le kangourou, on sauterait par-dessus les murs, on regarderait par la fenêtre de chaque maison, on bondirait jusqu'à l'horizon !

Avec Bil le gros gorille, on n'aurait plus peur de personne. Dans la cour de récréation, la bande de Cromagnon n'oserait plus se moquer de moi.

— Si tu me touches ou si tu me piques mes billes : gare à mon gorille !

Avec Loïc l'oiseau magique, on s'envolerait plus haut que les nuages, on ferait de longs voyages d'étoile en étoile.

Et avec Boulgui-boulga le panda, on s'endormirait l'un contre l'autre, en murmurant des histoires de l'autre bout du monde.

Au-dehors, un chien aboie, un merle siffle au sommet d'un arbre et un petit cri retentit : miaou !

Incroyable : j'aperçois une boule de poils toute grise, une boule minuscule qui pleure sous la pluie.

Vite, je sors de ma chambre. J'ouvre la porte de l'appartement… et me voilà, trempé sur le trottoir.

Je ramasse le chaton et je le glisse sous mon tee-shirt.

À ce moment-là, une fenêtre s'ouvre au-dessus de ma tête et ma mère me fait de grands signes :

— Que fais-tu ? Il pleut à verse ! Rentre tout de suite te changer !

Je remonte l'escalier lentement, en faisant bien attention au chaton. Ma mère m'attend devant la porte avec une serviette de toilette… Miaou ! Soudain un miaulement se fait entendre.

— Qu'est-ce que c'est ? s'inquiète ma mère. Tu éternues ?

— Heu non… C'est mon chat invisible…

Invisible ? Et quelle est donc cette petite tête grise qui pointe deux oreilles hors de mon tee-shirt ?

Aïe aïe aïe… Ma mère tend la main et elle saisit doucement le chaton. Aïe aïe aïe… Elle va se mettre en colère. Elle va aller chercher mon père, mon grand-père, ma grand-mère et tous les quatre renverront le chaton sur le trottoir…

Eh bien non ! Ma mère commence à essuyer la boule de poils et elle répète :

— Pauvre chaton ! Pauvre chaton trempé ! Tu es gelé… Tu vas être malade…

Mon père ouvre la porte et il s'étonne :

— Quoi ? Un chaton ? Où ça ?

À son tour, il prend délicatement la boule de poils et il hoche la tête :

— Hum… C'est une petite chatte. Elle doit avoir deux mois. Où l'as-tu trouvée ?

— Sur le trottoir…

— Et quel nom vas-tu lui donner ? demande ma mère.

Je n'en reviens pas. Je sens mes yeux qui picotent tellement je suis heureux. C'est à peine si je peux répondre…

Alors je cale la petite chatte contre ma joue et je murmure :

— Eulalie, je l'appellerai Eulalie.

On ne fera pas de concours de bulles dans la baignoire. On ne bondira pas jusqu'à l'horizon. On ne terrorisera pas la bande de Cromagnon. On ne s'envolera pas plus haut que les nuages…

Mais on s'endormira tous les deux l'un contre l'autre… Chaque nuit, je lui confierai mes secrets et je lui raconterai des histoires de l'autre bout du monde.

Le dragon aux beignets

Dolorès Mora
Illustrations de Mérel

Un dragon vient de s'installer à Ragouzi.

Il fabrique des beignets. Il crache du feu par la bouche et par le nez et les fait cuire dans sa friteuse cabossée.

Les enfants aperçoivent le dragon en sortant de l'école. Il crie :

Approchez ! Approchez !
Beignets soufflés,
Beignets fourrés,
Beignets flambés,
Qui veut mes jolis beignets ?

— Brr ! Dragon, tu es laid ! Tu nous fais peur ! Es-tu méchant ? demandent les enfants.

— Je suis gentil, voyons ! Je suis le dragon aux beignets.

Les enfants lui achètent tous ses beignets. Le dragon devient très vite leur ami.

Quelque temps après, la friteuse du dragon se troue. En plein milieu ! Et l'huile coule par en-dessous.

Le dragon va aussitôt à la quincaillerie.

— Bonjour, Monsieur ! Je voudrais une friteuse.

Le marchand terrorisé se cache sous le comptoir.

— Je n'en ai plus ! dit-il.

Comme le dragon ne s'en va pas, il ajoute :

— Et puis d'abord, vous avez une drôle de tête. Vous me faites peur. Partez tout de suite, espèce de cracheur de feu. Sinon, gare à mon bâton !

Le dragon sort du magasin. Il n'a toujours pas de friteuse.

Brusquement, une idée lui vient. Il va voir Zoé, une petite fille qu'il aime bien.

— Zoé, je suis embêté. Ma friteuse est cassée. Ta maman voudra peut-être me prêter la sienne ?

— Je vais le lui demander, dit Zoé.

Quelques instants plus tard, la mère de Zoé sort en criant :

— Vous prêter ma friteuse ! Et puis quoi encore ! D'où sortez-vous ? Vous êtes laid à faire peur. Allez ouste, du balai !

Elle lui claque la porte au nez.

Le lendemain, les habitants de Ragouzi apportent une pétition au maire.

Monsieur le maire,
Il faut chasser le dragon.
Il est laid, on a peur.
Il risque de mettre le feu
à la ville.

Le maire fait déguerpir le dragon, qui se réfugie dans un terrain vague, plein de carcasses de voitures et de poubelles puantes.

Zoé vient le voir en cachette. Elle lui apporte le journal, du sucre et des croûtes de gruyère qu'il fait fondre en soufflant dessus.

— Ne t'inquiète pas, cher dragon ! Je trouverai le moyen de te faire revenir !

L'hiver est arrivé. Il y a un mètre de neige dans les rues. Il n'a jamais fait aussi froid. D'ailleurs, l'école est fermée.

Dans les maisons, une par une, les chaudières tombent en panne. Dans la forêt, les oiseaux foudroyés par le froid tombent par terre, raides, les pattes en l'air.

Les gens ne quittent plus leurs maisons. Ils ont peur de subir le sort des oiseaux.

Mais un matin, le maire, qui doit donner l'exemple, va demander du secours à la ville voisine.

Une fois dans la rue, il tombe par terre, raide, les jambes en l'air.

— Il faut faire quelque chose, sinon on va tous mourir de froid, disent les gens.

Emmitouflée dans trois manteaux, Zoé traverse le jardin sans se faire voir. Vite, elle court jusqu'au terrain vague du dragon.

Une, deux ! Une, deux ! Il fait de la gymnastique autour d'un vieil autocar. Dès qu'il voit Zoé, il souffle sur des brindilles et allume un bon feu. Il fait chaud, la petite fille enlève ses manteaux.

— Cher dragon, aide-nous. Sinon, on va mourir de froid !

— Je m'en moque, répond-il en fronçant les sourcils. Il ne fallait pas me chasser !

Zoé tape du pied :

— Tu es méchant ! crie-t-elle. Alors, cela t'est égal si tout le monde meurt gelé, même nous les enfants ?

Le dragon hésite :

— Laisse-moi réfléchir, dit-il.

Les poings sur les hanches, il fait quelques pas en murmurant entre ses dents, puis revient.

— Tope là ! s'écrie-t-il. Je vais sauver les Ragouziens. Mais c'est bien parce que j'aime les enfants !

Le dragon crache des flammes autour des oiseaux, du maire, des chaudières et des maisons. La neige fond, les oiseaux et le maire se raniment, les chaudières se remettent en marche. L'hiver est fini !

Le maire ne sait pas comment remercier le dragon.

— Moi je sais ! dit Zoé. Donnez-lui une boutique, une friteuse, et il sera content. Pas vrai, dragon ?

Et depuis, le mercredi, Zoé aide le dragon à préparer la pâte, peler les pommes et cuire les beignets.

La cuisinière magique

Dolorès Mora
Illustrations de Mérel

Un pauvre bûcheron habitait dans la forêt. Un jour qu'il coupait du bois, une femme passa par là. Elle traînait une lourde charrette.

Tout à coup, la pluie tomba à verse. Le bûcheron avait bon cœur. Il proposa donc à la femme de s'abriter dans sa cabane. Elle avait froid. Il lui prêta sa veste. Elle avait faim. Il l'invita à manger des châtaignes avec lui.

Peu après, la pluie s'arrêta et le soleil revint. Alors, la femme décida de repartir.

— Bûcheron, je suis fée, dit-elle. Pour te récompenser de ta bonté, je t'offre cette cuisinière magique. Elle te donnera tout ce que tu veux manger.

D'un coup de baguette magique, elle sortit la cuisinière de la charrette et s'en alla.

C'était une belle cuisinière noire décorée de fleurs multicolores. Tout content, le bûcheron la plaça dans sa cabane. Le soir, au moment de dîner, il dit à haute voix :

— Je mangerais bien du lard, des œufs frits et du pain !

— Demande-moi ce que tu veux, tes désirs sont des ordres ! répondit la cuisinière.

Aussitôt, une poêle remplie d'œufs et de lard apparut sur la cuisinière et une odeur appétissante se répandit dans la cabane.

Le bûcheron se régalait à saucer ses œufs avec son pain, quand soudain, on frappa à la porte.

Il ouvrit. Une femme se tenait sur le seuil. Elle tremblait de froid.

— Entrez donc ! Vous profiterez du feu et du repas ! s'écria le bûcheron.

La femme examina le contenu de la poêle :

— Vous appelez ça un repas ! Je ne vois que du gras et des bouts d'œufs ! s'écria-t-elle d'une voix aiguë.

Le bûcheron éclata de rire :

— Attendez ! Dites-moi seulement ce que vous avez envie de manger et vous l'aurez ! assura-t-il naïvement.

— Je veux de la soupe aux choux, du poulet et des crêpes ! ordonna la femme.

Le bûcheron commanda le repas à la cuisinière magique.

— Demande-moi ce que tu veux, tes désirs sont des ordres ! répondit-elle.

Aussitôt, le repas apparut, fumant et délicieux. La femme l'avala goulûment. « Eh ! Eh ! pensa-t-elle, je crois bien que cette cuisinière est magique. Je vais m'en assurer. »

— Bûcheron ! ordonna-t-elle, je veux un beignet et du café.

Le bûcheron n'aimait pas qu'on lui parle sur ce ton mais comme il était serviable, il obéit quand même.

— Cuisinière, dit-il, as-tu entendu ? Donne-moi tout, s'il te plaît.

— Demande-moi ce que tu veux, tes désirs sont des ordres ! répondit-elle.

Alors, le beignet et le café apparurent.

— À la bonne heure ! cria la méchante

femme. Je vais emporter la cuisinière pour qu'elle me serve tout ce que je veux manger.

Le bûcheron voulut l'en empêcher. La femme était sorcière. Elle le changea en arbre. Puis elle attacha la cuisinière à une corde ensorcelée et l'emmena chez elle sans se fatiguer.

L'hiver s'écoula. Au printemps, la forêt se couvrit de feuilles. Passant par là, la fée eut envie de revoir le bûcheron. La cabane était vide. Un arbre avait poussé au milieu.

— Bûcheron, où es-tu ? demanda la fée.

Alors, l'arbre se mit à pleurer. La fée comprit.

— Bûcheron, sors du tronc ! commanda-t-elle.

L'homme reparut et l'arbre disparut. Il lui expliqua que la sorcière avait emporté la cuisinière.

— Eh bien, nous allons la lui reprendre ! déclara la fée.

Elle pointa sa lorgnette magique vers l'horizon.

— J'aperçois la sorcière dans sa chaumière ! s'exclama-t-elle.

Elle siffla et un dragon accourut.

— Monstre, conduis-nous chez la sorcière !

Une fois arrivés, ils regardèrent par la fenêtre. Hélas ! l'horrible bonne femme les découvrit.

— Ah ! ah ! Te revoilà bûcheron ! ricana-t-elle. Abracadabra ! deviens aussi petit qu'un rôti !

Le bûcheron rapetissa, la sorcière le ficela et hop ! elle le mit dans un plat. Alors, la fée cria :

— Cuisinière, débarrasse-nous de la sorcière !

Aussitôt, la sorcière fut attirée dans le four et vlan ! la porte se referma sur elle.

Le bûcheron était sain et sauf. La fée lui rendit sa taille normale. Il récupéra sa cuisinière et plus personne ne vint l'embêter.

Le prince
Charmant

Marie-Sabine Roger
Illustrations de Mérel

« On recherche prince valeureux et brave pour terrasser dragon. Écrire au château de Tourquipenche, ou bien téléphoner aux heures des repas. »

— Voilà, dit le roi Dé, en relisant son annonce, maintenant il n'y a plus qu'à attendre !

Deux jours plus tard, on sonna à la grille du château.

— Qu'est-ce que c'est ? cria le roi Dé en se penchant par la fenêtre.

L'entrée était cachée par un lierre, mais une voix forte répondit :

— Je viens pour l'annonce !

— J'arrive, j'arrive ! cria le roi en dévalant l'escalier quatre à quatre.

Tout époumoné et le cœur palpitant, il alla ouvrir la herse et se trouva nez à nez avec un étrange bonhomme.

C'était un tout petit monsieur très maigre, avec une grosse tête sur des épaules étroites, de grosses lunettes de myope et une petite valise à la main.

— Qui êtes-vous ? demanda le roi Dé.

— Je me nomme Jules Charmant, et je suis prince.

— Et où se trouve votre monture ?

— Si vous voulez parler de ma voiture, elle est tombée en panne à l'entrée du château, répondit Jules Charmant. Mais où est le dragon ?

— Ah, hélas, il ne doit pas être loin… Mais entrez donc, je vais vous expliquer ce que j'attends de vous !

Tout en se dirigeant vers la salle du trône, le roi raconta ses malheurs au prince, qui l'écoutait avec beaucoup d'attention.

— Voilà, je suis roi ici depuis ma plus tendre enfance. Pour tout vous dire, chez nous, nous sommes rois de père en fils. C'est une tradition familiale. J'ai donc toujours vécu dans ce château. Il est peut-être un peu petit, je n'ai que vingt-trois chambres et douze salles de bains, mais bon… Ma femme et ma fille s'y plaisent, et je ne compte pas déménager. Or, depuis quelque temps, voilà qu'un dragon s'est mis en tête de me chasser d'ici, et par tous les moyens !

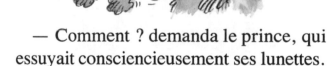

— Comment ? demanda le prince, qui essuyait consciencieusement ses lunettes.

— Il veut nous faire mourir de faim ! pleura le roi. Il a mangé nos chevaux, puis nos moutons, nos chèvres, nos vaches, quelques fermiers, nos poules, nos canards, tout !

— Ennuyeux, ceci… dit le prince.

— Ennuyeux, comme vous dites ! Et maintenant il terrorise le laitier et le facteur, ce qui fait que je ne peux plus prendre mon petit déjeuner en lisant le journal. Cela devient intolérable !

— Certes, certes. Bien. Je vais m'occuper de cela. Mais auparavant, ne m'en veuillez pas de poser cette question : quel sera mon salaire ?

— Heu, j'avais pensé vous donner

ma fille, dit le roi d'un ton mal assuré.

— Puis-je la voir d'abord ? demanda le prince.

— Vous y tenez vraiment ?

— Vraiment, oui.

Le roi se leva de son trône, alla jusqu'à la porte du couloir, et appela :

— Yvonne ! Viens un peu voir ici !

— Oui, père ! répondit une petite voix.

Et l'on entendit un pas lourd ébranler l'escalier en courant.

Une grosse princesse vêtue de rose apparut sur le seuil.

Le prince la regarda en silence.

— Elle n'est pas terrible... dit-il au roi.

Celui-ci soupira.

— Eh oui, je sais... Bon, tant pis,

puisque vous ne voulez pas de ma fille, que voulez-vous comme salaire ?

Le prince Charmant sortit de sa valise une calculette imprimante, et tapa une longue série de chiffres.

Puis il tendit la facture au roi.

— Pffffiiiou ! siffla le roi. C'est cher !

— Je sais, mais ce sera rapide.

Et le marché fut conclu.

Le prince se leva très tôt le lendemain, et alla se poster à la grille d'entrée pour surprendre le dragon.

Il n'eut pas longtemps à attendre. À peine entendit-il la camionnette du facteur monter l'allée du château qu'un énorme dragon surgit de derrière les arbres.

C'était une bête monstrueuse, ventrue, poilue, griffue, fourchue et barbichue.

Le facteur freina dans un crissement de pneus, et fit promptement demi-tour en soulevant des nuages de poussière.

Cela fit tousser le dragon si fort qu'il dut s'asseoir en faisant de grands « theu-heu ! theuheu ! » De grosses larmes coulaient de ses yeux irrités.

Le prince se dirigea vers le dragon et lui tendit un mouchoir.

— Theuheu ! theuheu ! Merci beaucoup, Monsieur ! theuheu ! theuheu ! dit le dragon d'une voix fort civile, en s'essuyant les yeux et en se mouchant entre deux quintes.

— De rien ! Je vous en prie ! dit le prince, qui ajouta au bout d'un moment : Ainsi c'est vous, le dragon de Tourquipenche ?

— Moi-même, Monsieur. Et croyez bien que j'en suis fier !

— Vous n'avez pas l'air si méchant que cela !

— Ne vous y trompez pas, Monsieur. Dès que j'aurai fini de tousser, theuheu ! theuheu ! je vous mangerai !

— Et pourquoi ?

— Comment, pourquoi ? Mais parce que je suis un dragon !

— Allons, allons, c'est ridicule. Il n'y a plus de dragons, de nos jours ! Et puis vous vous condamnez à une vie misérable… Est-ce que cela vous satisfait de faire peur à deux ou trois villageois, un facteur, un laitier et un roi ? Quel pauvre public !

Le dragon haussa les épaules d'un air résigné.

— Ah, je sais… Je sais bien… J'aurais tant voulu être acteur, faire du cinéma…

— Du cinéma ? Mais quel heureux hasard ! Il y a justement au village une troupe d'acteurs en train de tourner un film sur les dragons… dit le prince d'un air innocent. Et il ajouta : il paraît même que l'on recherche un dragon griffu, ventru et barbichu pour tenir le rôle principal…

Le dragon s'était redressé de toute sa taille.

— Où sont ces acteurs ? Où ? Répondez-moi ou je vous mange ! grogna-t-il en secouant le prince comme un prunier.

— Par là ! Par là ! Descendez jusqu'au tournant, après ce gros arbre, et tournez à gauche, puis encore à gauche après la petite cabane.

Le dragon laissa tomber le prince, et partit en courant lourdement. Le prince s'épousseta, avec un petit sourire, et monta tout en haut du donjon pour mieux voir la suite.

Il vit le dragon :

1 - Descendre le chemin jusqu'au tournant.

2 - Tourner à gauche après le gros arbre et puis encore à gauche après la petite cabane.

3 - Clang ! Tomber dans la benne à ordures en contrebas de la cabane.

Puis il vit :

4 - Plong ! Le camion-poubelle charger le dragon dans sa cargaison.

5 - Vrooomm ! Le camion s'en aller très loin en emportant un dragon furieux et couvert d'épluchures de pommes et de peaux d'oranges moisies…

Alors le prince Charmant alla dire au revoir au roi Dé, et jamais plus on ne le revit.

Et le dragon non plus.

Le marchand de claques

Marie-Sabine Roger
Illustrations de Mérel

Ludovic aime bien marcher dans les rues en regardant les magasins. Il colle son nez aux vitrines, et contemple les jouets, les télévisions, les livres, bref, tout ce qu'on peut voir d'intéressant en ville.

Or, depuis quinze jours déjà, un magasin l'intrigue.

Les vitres en sont barbouillées de blanc, et l'on peut voir un panneau sur lequel est écrit : « Réouverture le 19 à 9 heures ».

C'est un tout petit commerce, un peu étriqué et vieillot, coincé entre une banque et un fleuriste. La façade est en bois, peinte en vert et rose, avec des couleurs un peu passées.

Si Ludo est si intrigué, c'est parce qu'il connaît bien cette boutique : avant, il y avait là un marchand de bonbons roses, bleus et jaunes, dans des bocaux de verre de toutes les tailles.

Et maintenant, que va-t-il y avoir ?

L'enseigne, « Au paradis des enfants », est recouverte d'un drap.

Demain c'est le 19, et comme ce sera mercredi, Ludovic se promet d'être à l'ouverture, à 9 heures.

Le lendemain, lorsqu'il arrive, il y a déjà la queue.

De loin, il a vu l'enseigne fraîchement repeinte : « Au paradis des parents ».

« Tiens, se dit Ludo, qu'est-ce qu'il peut bien vendre, celui-là ? » Il ne voit en effet que des adultes, sur le trottoir. Il y a là une dame avec une main bandée, un monsieur qui souffre apparemment

d'un tour de reins, un autre monsieur avec un pied dans le plâtre. « Il n'y a que des éclopés, ici ! » pense Ludo. Il passe sur le trottoir opposé, et s'arrête enfin en face du magasin. Et là, horreur ! Que voit-il ?

De grandes affiches collées sur la vitrine, une banderole au-dessus de l'entrée :

AU PARADIS DES PARENTS
Marchand de claques

Vente promotionnelle

CLAQUES -50%
BAFFES -30%
COUPS DE PIED AU DERRIÈRE -25%

EXCEPTIONNEL
Pour tout acheteur
d'un lot de claques,
nous tirons
les cheveux gratis !

PRIX D'OUVERTURE
Gifles, l'unité 6 F
les dix 50 F
3 FESSÉES
POUR LE PRIX DE 2 !

Et un panneau de bois posé devant l'entrée indique :

Fâchez-vous, nous faisons
le reste !
Gifles à domicile, 24 h sur 24,
sur simple appel téléphonique,
du lundi 9 h au samedi 20 h.
Minitel: 36-15 BAF.

Terrifié, Ludovic se cache derrière une grosse poubelle, et de là, il risque un œil et tend l'oreille pour écouter ce que disent les acheteurs.

La dame qui a la main bandée dit d'une voix forte :

— Je voudrais me faire livrer un lot de claques à domicile.

— Bien, Madame, dit le vendeur d'une voix obséquieuse, c'est pour un enfant de quel âge ?

— Pour ma fille qui a douze ans.

— Douze ans, bien, bien, bien… Voilà votre facture, Madame, cela fait 180 F. Vous serez livrée cet après-midi à 15 h. Et comme il s'agit d'un lot exceptionnel, nous lui tirerons les cheveux gratuitement !

— Cela tombe bien, dit la dame d'un air fort satisfait, elle a horreur de ça !

Le monsieur qui a le pied plâtré entre à son tour en s'appuyant sur une canne.

— Bonjour, Monsieur ! fait le vendeur.

— Bonjour, je voudrais une dizaine de

coups de pied au derrière. J'ai fait une mauvaise chute de vélo, et je ne peux malheureusement les donner moi-même…

— Pas de problème, Monsieur. Quel âge a votre enfant ?

— Ils sont deux, deux garçons de huit et dix ans.

— Parfait. Vous verrez, vous serez content ! Oui, oui, vous pouvez régler par chèque…

Le monsieur au dos plié en deux demande à son tour d'une voix souffreteuse :

— J'aurais bien voulu, si c'est possible, avoir un petit assortiment, pour mes jumelles de neuf ans…

— Mais bien sûr, nous avons exactement ce qu'il vous faut : un petit lot spécial à prix d'ouverture, qui comporte deux claques, une paire de gifles, une tape sur les fesses, trois coups de martinet et un tirage d'oreilles. Le tout pour 100 F seulement !

— En effet, ce n'est pas cher ! Pourriez-vous me livrer tout de suite ?

— Mais oui, dès que j'aurai attrapé ce petit garçon qui m'espionne sur le trottoir d'en face, et à qui je vais faire essayer mon martinet.

Et en disant cela, le vendeur jaillit de son magasin, armé d'un gigantesque filet à papillons. Le marchand de claques est grand et gros, il a un nez rouge et un regard méchant.

Il se précipite sur Ludovic et traverse la rue en brandissant son filet.

Ludo bondit hors de sa cachette et se sauve en courant à toutes jambes. Mais il entend derrière lui le souffle haletant du marchand de claques, qui gagne peu à peu du terrain.

Ludo se dirige vers le grand pont suspendu, car il habite sur l'autre rive.

Hélas ! il n'est qu'à la moitié du pont lorsque le grand filet s'abat sur lui, pendant qu'une grosse voix s'écrie :

— Je le tiens ! Je le tiens !

Ludo se débat si furieusement qu'il finit par basculer par-dessus le parapet, et il tombe, tombe, tombe...

Il s'écrase brutalement au sol, et se retrouve sous son lit, le nez contre le plancher, les jambes et les bras entortillés dans son drap.

Papa, qui entre dans sa chambre, lui dit :

— Alors, tu t'es battu avec ton oreiller ? Lève-toi vite, il est déjà 9 heures. On va déjeuner, et quand tu seras habillé, nous irons faire des courses. Et si tu veux, on pourrait s'arrêter au magasin qui vient de rouvrir, après le pont...

— Non ! hurle Ludo. Non, ça jamais !...

« Eh bien, ça alors » pense le papa en sortant de la chambre, « c'est bien la première fois que Ludo refuse d'aller acheter des bonbons. D'autant plus que, maintenant que le magasin est refait, il y en a dix fois plus qu'avant ! »

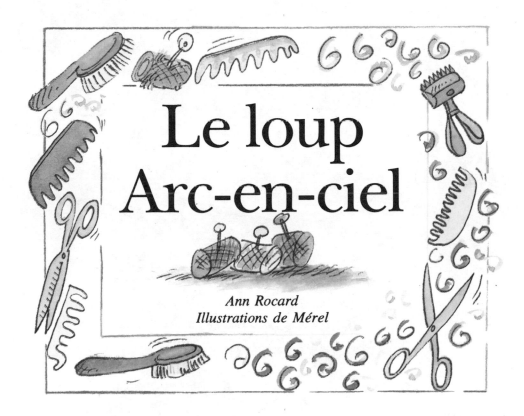

Le loup
Arc-en-ciel

Ann Rocard
Illustrations de Mérel

Dans un pays très froid vit un énorme loup. Un loup comme on n'en a jamais vu : rayé de six couleurs différentes : violet, bleu, vert, jaune, orangé, rouge ! Un véritable arc-en-ciel ! C'est incroyable !

— Incroyable ? gronde le loup. Pas du tout ! Je suis simplement tombé dans un pot de peinture quand j'étais petit.

Quand l'accident s'était produit, sa mère louve l'avait immédiatement lavé, frotté, gratté, séché… Mais rien n'y fit ! Le louveteau garda toujours ses rayures colorées.

À partir de ce jour-là, tout le monde le surnomma Arc-en-ciel.

Aujourd'hui, Arc-en-ciel est un énorme loup dont personne n'a peur.

— Ah ah ah ! se moque un sanglier. Voilà le loup rayé…

— Hé hé hé ! ricane un gros ours. Il fait de la publicité pour une marque de peinture. Hé hé hé… La peinture Arc-en-ciel vous donnera des ailes !

Et un vieux vautour ajoute en claquant du bec :

— Avec la peinture Arc-en-ciel, vous vous croyez au ciel !

Le loup se bouche les oreilles et il s'éloigne en soupirant :

— Ah, si j'étais comme mon arrière-grand-père Lucifer… Lui au moins faisait peur à tout le monde. Il avait croqué le Petit Chaperon vert et son grand-père, sans qu'on s'en aperçoive ! La preuve : on n'en a jamais parlé ! Mais

moi… Que pourrais-je faire pour effrayer les passants ?

Montrer les dents ? Oh non ! Il a déjà essayé et tout le monde s'est écrié :

— Arc-en-ciel a un dentier ! Arc-en-ciel à un dentier !

Hurler au clair de lune ? Oh non ! Le mois dernier, quand il a hurlé, tout le monde est venu danser autour de lui, en chantant :

Arc-en-ciel a un hibou,
coincé au fond du gosier !
Arc-en-ciel n'est pas un loup,
c'est une sirène… Ouh ouh !
Une sirène de pompiers !

L'énorme loup ne sait plus quoi faire. Quelquefois, il se met en colère. Il rugit, il bondit, il essaie d'égorger ceux qui passent à sa portée.

Mais les autres animaux éclatent de rire :

— Ah ah ah ! Arc-en-ciel veut jouer à chat, Arc-en-ciel veut jouer au loup ! Ah ah ah ! Il ne nous attrapera pas !

En effet, le loup est tellement furieux qu'il tremblote, qu'il bougeotte… et ne croque jamais personne !

Un matin, Arc-en-ciel s'éveille de très mauvaise humeur et il décide :

— Je vais aller chez un coiffeur pour changer de couleur.

Et il se dirige vers Glaglaville, la capitale de son pays.

Dans cette ville, il y a trois coiffeurs : mademoiselle Frisette, monsieur Perruque et madame Bouclette.

Arc-en-ciel se rend chez chacun d'eux et il explique :

— Je voudrais changer de couleur. Pouvez-vous m'aider ?

— Teindre un loup ? sursaute mademoiselle Frisette. Ça non ! Il n'en est pas question !

— Teindre un loup loup loup ? bredouille monsieur Perruque. Je ne suis pas fou…

— Teindre un loup ? s'étonne madame Bouclette. Pourquoi pas ? Je n'ai jamais eu de client comme ça !

Aussitôt, madame Bouclette installe Arc-en-ciel dans un large fauteuil et elle ordonne :

— Ne bougez pas ! Fermez les yeux et surtout la bouche ! Je ne veux pas finir dans votre estomac.

La coiffeuse sort plein de petits flacons,

des bigoudis, des pinceaux, des ciseaux et une pompe à vélo.

Pendant qu'elle travaille avec application, l'énorme loup s'est endormi.

Une heure plus tard, madame Bouclette débranche son séchoir à cheveux et dit d'une voix forte :

— Terminé ! Regardez-vous dans la glace !

Arc-en-ciel ouvre les yeux et se penche vers le miroir. Ça alors : il ne se reconnaît pas et il demande :

— C'est moi, cet énorme loup noir ?
— Évidemment ! répond la coiffeuse.

Frisé, frisotté, bouclé, parfumé ! Arc-en-ciel est devenu un loup plus effrayant que son arrière-grand-père Lucifer.

Ravi, il commence à grogner et pousse un long hurlement.

Soudain la coiffeuse lui fait signe de se taire et elle lui chuchote à l'oreille :

— J'ai ajouté à la teinture un produit...
— Un produit ? Quel produit ? demande le loup.
— Un produit qui rend doux comme un mouton...
— Et alors ? s'inquiète Arc-en-ciel.
— Vous ferez peur... Certainement !

dit madame Bouclette. Mais vous ne serez jamais méchant.

— Même en hurlant, même en grondant ?

— Même en hurlant, même en grondant ! dit la coiffeuse avec un large sourire.

Arc-en-ciel grince des dents... Va-t-il se mettre en colère ? Non, il éclate de rire et s'écrie :

— Tant pis ! Merci pour tout ! Merci !

Arc-en-ciel agite la patte et retourne chez lui.

Maintenant, personne ne se moque plus du gros loup, personne n'ose chuchoter derrière son dos : « Il est frisé, tout frisotté. Il est bouclé et parfumé »... car personne n'a envie de se faire croquer.

Heureusement, le sanglier, l'ours et le vieux vautour ne savent pas que l'énorme loup est devenu doux comme un mouton, gentil comme un amour. Chut ! Il ne faut pas le répéter !

Le magasin d'en bas

Marie-Sabine Roger
Illustrations de Catherine Dieudonné

Charlotte a quatre ans. Et un gros-rhume-qui-tousse et qui l'oblige à rester au lit. Charlotte s'ennuie. Comme il ne fait pas froid, maman a laissé la fenêtre ouverte, et Charlotte écoute les bruits de la rue. Elle entend très bien tout ce qui se passe dans le magasin du dessous, celui qui vient d'ouvrir ce matin.

Ting ! tong ! fait justement la clochette du magasin.

— Bonjour, bonjour, fait une petite voix pointue. Je voudrais deux chaussons, s'il vous plaît !

Des chaussons, Charlotte sait ce que c'est, elle en a une paire rouge, qu'elle met tous les soirs en rentrant de l'école. Ce doit être un magasin de chaussures, en bas. Mais la voix de la marchande s'élève vers elle :

— Les voilà, Madame, deux chaussons... Bien cuits !...

Bien cuits ? Ça se fait cuire, les pantoufles ? Et Charlotte imagine une petite dame s'en allant avec à chaque pied un chausson de laine fumante...

Ting ! tong ! fait la clochette.

— Bonjour Monsieur, fait la voix de la marchande.

— Bonjour Madame, répond une grosse voix. Je voudrais trois éclairs.

Des éclairs ? Pourtant il fait beau, aucun orage à l'horizon...

— Voilà vos éclairs, Monsieur, au revoir et bonne journée.

Et Charlotte imagine un gros monsieur qui s'éloigne avec trois éclairs qui brillent sous son bras.

Ting ! tong ! ting ! tong !

La voix d'un monsieur pressé retentit soudain.

— Bonjour Madame ! Je viens chercher ma couronne.

Un roi, maintenant ? Ou peut-être un prince, qui sait ? Et la voix de la vendeuse résonne dans l'air :

— Voici, Monsieur. Une couronne pour quatre personnes...

Pour quatre personnes... ? Il doit avoir une tête énorme, ce roi !

Charlotte croit voir un monsieur avec une tête comme une citrouille, ceinte d'une couronne de roi. Ou alors un roi avec une tête normale, mais qui porterait sa couronne comme une bouée, ou alors... Ting ! tong !

— Bonjour Madame ! Je voudrais une religieuse, s'il vous plaît.

Une religieuse... Allons bon ! Mais qu'est-ce que c'est que ce magasin ?

Et la voix reprend :

— Ne l'enveloppez pas, je vais la manger tout de suite.

Charlotte pousse un cri. Elle imagine un cannibale emportant sous son bras une pauvre religieuse, hurlant et se débattant...

Charlotte sent que sa fièvre monte. Elle se sent bizarre, et voudrait bien dormir. Mais ting ! tong ! fait la clochette.

Elle entend une voix forte, sonore.

— Je viens chercher la charlotte que je vous ai commandée pour ce soir.

— Vous allez vous régaler, Monsieur, je vais aller vous la chercher tout de suite !

Charlotte se cache précipitamment sous les couvertures. Elle entend des pas dans l'escalier, dans le couloir, la porte de sa chambre s'ouvre, une main lui secoue l'épaule, lui tire sa couverture.

— Non ! non ! crie Charlotte.

Mais c'est maman qui est là, avec un petit paquet à la main.

— Tiens ma puce, comme il y a une pâtisserie qui vient de s'ouvrir en bas de chez nous, ce matin, je suis allée te chercher des gâteaux, pour le goûter...

Ting ! tong ! ting ! tong ! fait la clochette.

Mais Charlotte n'écoute plus les bruits du magasin d'en bas. Bien calée contre ses oreillers, au chaud sous ses couvertures, elle mange des tartes aux fraises et des sablés au chocolat. Et voilà !

Où est donc Polochon ?

Ann Rocard
Illustrations de Catherine Dieudonné

Polochon est un petit ours en peluche, léger comme une plume et doux comme du coton. Polochon : quel drôle de nom pour un ourson !

Aujourd'hui, pour aller au marché avec sa maman, Sophie veut absolument emmener Polochon :

— Oh maman, je ferai bien attention à lui !

— Mais s'il tombe, tu risques de ne plus le retrouver... dit maman.

Sophie n'écoute rien et elle cache l'ourson sous son pull-over. Polochon est très content :

— Hum qu'il fait bon, hum qu'il fait chaud.

D'abord, Sophie marche lentement, à petits pas de fourmi ; puis, soudain, elle oublie Polochon... et elle se met à courir, à sauter dans tous les sens.

L'ourson glisse, glisse et le voilà par terre au bord du trottoir.

Sophie et sa maman sont déjà loin.

Polochon regarde autour de lui : il voit des tas de jambes, des chaussures :
tip tap tip tap !
qui partent d'un côté...
tip tap tip tap !
puis de l'autre.

Polochon soupire doucement :

— Je voudrais bien savoir marcher...

Mais les ours en peluche, ça ne peut pas bouger, ni se lever. Alors Polochon se met à penser, penser très fort : « Pourvu que Sophie revienne, pourvu que Sophie revienne. »

Quelqu'un se baisse tout à coup... C'est Sophie ? Non, seulement un monsieur avec une moustache noire et de petites lunettes rondes :

— Qu'est-ce que tu fais là, l'ourson ? demande le monsieur. Tu joues à cache-cache sur le trottoir ?

Polochon voudrait bien répondre :

— Pas du tout, monsieur à la drôle de moustache ! Je suis perdu... Ça ne vous est jamais arrivé, à vous ?

Mais les ours en peluche, ça ne peut pas dire un mot... Alors Polochon soupire doucement :

— Oh, j'aimerais tellement savoir parler...

Le monsieur ramasse Polochon et l'emporte au marché :

— Tu vois, ourson mignon, c'est là que je travaille !

Et il pose Polochon entre un tas de tomates et une botte de poireaux :

— Ne t'inquiète pas, ourson ; comme ça tout le monde te verra !

Polochon jette des coups d'œil à droite... à gauche... pas de Sophie. Il se sent très triste, mais les ours en peluche, ça ne peut pas pleurer...

— Oh, j'aimerais avoir de vraies larmes mouillées... chuchote-t-il en plissant ses yeux le plus fort qu'il peut.

Des larmes ? Polochon a l'impression que quelqu'un pleure à sa place... Pleure même très fort ! Mais oui : devant le marchand de légumes se trouve Sophie !

Sa maman essaie de la consoler :

— On va le retrouver ton nounours. Ne pleure pas comme ça. Il faut d'abord faire les courses. Que veux-tu acheter : des pommes ? des artichauts ?

— Rien du tout ! Je veux Polochon !

À ce moment-là, Sophie lève la tête... et que voit-elle juste à côté des tomates ? Son ourson !

La petite fille se met à rire :

— Maman ! Regarde ! C'est mon Polochon !

Le monsieur à la moustache noire prend l'ours en peluche et le tend à Sophie :

— Tiens, il est léger comme une plume et doux comme du coton, ton Polochon !

Sophie glisse son ours sous son pull-over. Elle le tient bien serré contre elle jusqu'à la maison. Les ours en peluche : ça ne peut pas marcher, ça ne peut pas parler ni pleurer... mais ça peut rire très fort du fond des yeux.

Chut ! Polochon s'est endormi, bien à l'abri... Et Sophie s'éloigne à pas de fourmi.

Le crocodile qui fronçait les sourcils

Ann Rocard
Illustrations de Catherine Dieudonné

Maxi-Bill était un gros crocodile tranquille.

Il vivait en Afrique, au bord du Nil, le plus grand fleuve du monde.

Autrefois, Maxi-Bill était un crocodile terrible, terrifiant : le plus fort, le plus méchant de tous les crocodiles.

Quand un passant s'approchait sur la pointe des pieds, le terrible Maxi-Bill grinçait des dents et fronçait les sourcils… Zip ! Aussitôt, le passant s'enfuyait en suppliant :

— Pitié ! Pitié ! Ne me croquez pas… Je ne fais que passer…

Quand un singe coquin se balançait de branche en branche, Maxi-Bill frappait la surface de l'eau avec sa longue queue et de nouveau, il fronçait les sourcils… Zip ! le singe plongeait entre les noix de coco.

Oui, mais… c'était il y a bien longtemps. Depuis, Maxi-Bill avait vieilli, vieilli. Peu à peu, ses petites dents pointues étaient tombées et les souris les avaient toutes emportées.

Maintenant, le vieux crocodile ne faisait plus peur à personne.

Quand un passant longeait le grand fleuve, Maxi-Bill secouait sa mâchoire sans dents et il fronçait les sourcils… Ah ah ah ! Le passant éclatait de rire et il chantonnait méchamment :

— Imbécile crocodile ! Ferme ta bouche et reste tranquille !

Et les singes moqueurs répétaient en grimaçant :

— Ferme ta bouche et reste tranquille !

Maxi-Bill baissait la tête. Il n'essayait même plus de frapper la surface de l'eau avec sa longue queue… Il allait se cacher sous un bouquet de nénuphars. Et de temps en temps, il versait une larme de crocodile, une énorme larme… mais personne ne s'en apercevait.

Vraiment, la vie n'était pas facile pour un crocodile édenté, un vieux crocodile sans dents !

Alors un matin, Maxi-Bill décida de partir très loin. Il prépara son sac à dos et il quitta le bord du Nil.

— Où vas-tu donc croco ? s'étonna un singe coquin.

Mais le crocodile ne répondit pas ; il ne se retourna même pas… car il avait le cœur gros.

Maxi-Bill marcha longtemps, longtemps. Il traversa la savane aux grandes herbes jaunes puis il s'enfonça dans une profonde forêt.

Soudain, le crocodile entendit des pas derrière lui : il en était sûr, quelqu'un le suivait. Il se retourna et découvrit un petit garçon.

Maxi-Bill fronça les sourcils et grogna :

— Que fais-tu là, seul au milieu des bois ?

Le petit garçon se mit à rire :

— J'habite dans un village, non loin d'ici. Je m'appelle Ogoula !

Maxi-Bill n'en revenait pas : pourquoi ce petit bonhomme ne se moquait-il pas de lui, comme tous ceux qu'il avait rencontrés jusqu'à présent ?

— Et toi, que fais-tu là ? demanda Ogoula. Je n'ai jamais vu un animal pareil... Serais-tu un serpent à pattes ?

— Oh non ! fit Maxi-Bill.

— Tu ne ressembles pas à un hippopotame, remarqua Ogoula.

— Oh ça non ! fit Maxi-Bill.

— Tu es peut-être un lion qui a perdu sa crinière ? dit le petit garçon. Un lion ou bien un affreux dragon ?

— Un dragon ? Oh non ! fit Maxi-Bill. Je suis un vieux crocodile.

Ogoula se gratta la tête : un crocodile ? Il ne connaissait pas cette drôle de bestiole-là...

Alors Maxi-Bill raconta au petit garçon qu'il était autrefois un crocodile terrible, terrifiant.

— Tu étais vraiment très fort ? s'étonna Ogoula.

— Évidemment ! dit Maxi-Bill. Le plus fort crocodile de la terre !

— Tu étais vraiment très méchant ? ajouta Ogoula.

— Évidemment ! dit Maxi-Bill. Le plus méchant crocodile du monde !

Le petit garçon hocha la tête et il chuchota :

— Si je t'avais rencontré autrefois, j'aurais eu peur de toi et je ne serais jamais devenu ton ami... mais aujourd'hui, je veux bien.

Maxi-Bill soupira : la vie n'était pas facile pour un vieux crocodile, et clopin-clopant, il suivit le petit garçon jusqu'au village voisin.

Le gros crocodile et Ogoula devinrent bientôt inséparables. Ils se trémoussaient au son du tam-tam, ils buvaient du lait de coco ou ils se balançaient, confortablement allongés dans un hamac.

Mais parfois, Maxi-Bill repensait à son pays et au grand fleuve où il aimait tant nager... et il se demandait s'il y retournerait un jour.

Un matin, Ogoula tendit un cadeau à son ami le crocodile.

— Qu'est-ce que c'est ? sursauta Maxi-Bill.

— C'est une surprise de mon père, répondit le petit garçon.

Le père d'Ogoula était sculpteur.

Il savait sculpter le bois, la pierre et l'ivoire… Et dans le paquet, Maxi-Bill découvrit une collection de petites dents blanches et pointues : un vrai dentier spécial pour crocodile !

Maxi-Bill l'essaya aussitôt. Fantastique ! Il était redevenu presque aussi jeune qu'autrefois !

Il grinça des dents, il frappa la poussière avec sa longue queue et il fronça les sourcils… Puis il fit un clin d'œil à son ami :

— N'aie pas peur, Ogoula ! C'était pour rire !

— J'avais deviné, s'amusa le petit garçon.

Le lendemain, le gros crocodile reprit son sac à dos. Il remercia le sculpteur et il embrassa Ogoula :

— Ne sois pas triste, petit bonhomme. Ton père a promis que vous viendrez me voir bientôt... tout là-bas dans mon pays.

Puis Maxi-Bill s'éloigna dans la profonde forêt. Il traversa la savane aux grandes herbes jaunes et il se retrouva enfin au bord du Nil.

Quand les singes coquins l'aperçurent, ils crièrent d'arbre en arbre et de village en village :

— Maxi-Bill est de retour ! Maxi-Bill est de retour ! Ses dents ont repoussé... Non non ! On n'a pas rêvé !

Les habitants des alentours s'approchèrent sur la pointe des pieds : ça alors !

Ses dents avaient vraiment repoussé ! Le terrible crocodile allait-il de nouveau vouloir les croquer ?

Maxi-Bill grinça des dents, il frappa la surface de l'eau avec sa longue queue et il fronça longuement les sourcils... Puis il se mit à rire très fort, si fort qu'on l'entendit de l'autre côté de la savane, de l'autre côté de la profonde forêt, presque de l'autre côté de la terre.

Certains, sans doute, ont deviné que Maxi-Bill porte de fausses dents, un dentier spécial pour crocodile... mais ils font semblant d'avoir encore un peu peur de lui, et plus jamais personne ne chantonne :

— Imbécile crocodile ! Ferme ta bouche et reste tranquille !

Quant à Ogoula et son père, ils viennent de temps en temps rendre visite à leur ami, comme ils le lui ont promis.

Quelle belle vie pour un crocodile ! Oh ça oui !

Le kangourou
qui sautait plus vite
que son ombre

Ann Rocard
Illustrations de Catherine Dieudonné

Ridiclou était un kangourou de rien du tout : bien plus petit que ses voisins, bien plus petit que ses copains.

— Ne t'inquiète pas ! disait sa mère. Tu deviendras aussi grand que ton oncle Dagobert, le kangourou géant.

Ridiclou regardait longuement la photo de Dagobert : immense, costaud, coiffé d'une casquette à carreaux. Il travaillait dans un zoo et il était connu, paraît-il, dans le monde entier !

Oui, mais que faire pour ressembler à l'oncle Dagobert ?

— Ne t'inquiète pas ! disait son père. Mange ta soupe et tu grandiras.

Ridiclou détestait la soupe. Mais il en mangeait quand même : une fois, deux fois, trois fois à chaque repas.

Ensuite, le petit kangourou sautillait jusqu'à sa chambre et il se mesurait en cachette.

— Flûte, zut et ratapouet ! soupirait-il. Je n'ai pas pris un centimètre…

— Ne t'inquiète pas ! disait la cousine Séraphine. Va faire une sieste. C'est quand on dort qu'on grandit !

Ridiclou n'aimait pas dormir. Mais il s'allongeait quand même : une sieste le matin, une sieste après le déjeuner et une longue nuit.

Au réveil, le petit kangourou bondissait sur le tapis et il se mesurait en cachette.

— Flûte, zut et ratapouet ! soupirait-il. Je n'ai pas pris un centimètre…

Les mois passèrent. Les voisins de Ridiclou grandissaient, ses copains de l'école aussi.

Et dans la cour de récréation, Matuvu, le plus vieux de la classe, se moquait de lui :

— Ridiclou : ridicule ! Ridiclou : minuscule !

— Ridiclou ne vaut pas un clou ! ajoutait le gros K.O.

Ridiclou leur tournait le dos et il sifflotait, l'air de rien… mais en fait, il n'était pas content, content.

Un soir, sa mère lui donna un conseil :

— Si tu es le plus petit en taille, il faut que tu sois le premier en classe !

Être le premier : ce n'était pas facile.

Le petit kangourou avait beau s'appliquer, il écrivait toujours de travers, il faisait plein de fautes dans ses dictées et il n'arrivait pas à calculer.

Alors son père lui dit :

— Si tu es le plus petit en taille, il faut que tu sois le plus malin !

Ridiclou réfléchit, réfléchit pendant toute une nuit… Être le plus malin : ce n'était pas évident.

Il n'était pas plus costaud qu'une poignée de haricots.

Il ne savait pas faire le clown ni raconter des histoires drôles, des histoires à mourir de rire.

Au football, il n'avait jamais le ballon.

Aux billes, il perdait tous ses calots dès la première minute…

Le petit kangourou soupira et il abandonna ses recherches.

Quelque temps plus tard, mademoiselle Scoubidou la maîtresse organisa une sortie. Tôt le matin, les élèves se retrouvèrent dans la cour, avec un sac sur le dos.

— Vous avez votre pique-nique ? demanda la maîtresse.

— Oui ! crièrent tous les kangourous.

— Allons-y ! Suivez-moi !

Hop hop hop, les kangourous s'éloignèrent en file indienne. Mademoiselle Scoubidou sautait la première, Ridiclou sautillait timidement à la queue… Et tous les élèves chantaient à tue-tête :

Un kilomètre à patte ! Ça use, ça use !
Un kilomètre à patte ! Ça use les savates !

Soudain une ombre noire glissa au-dessus de leurs têtes.

— Qu'est-ce que c'est ? sursauta Matuvu.

— Un aigle géant ! Cachez-vous ! ordonna la maîtresse.

— Un aigle géant ! Au secours ! hurlèrent les élèves terrifiés.

Les kangourous cherchèrent aussitôt une cachette : sous un buisson, derrière un tronc d'arbre… Seul K.O était encore debout sur le sentier, ne sachant où aller.

— K.O, dépêche-toi ! cria Matuvu en agitant les pattes.

Trop tard ! L'aigle géant plongea et il
saisit K.O entre ses serres.

— Au secours ! Aidez-moi ! gémit
K.O, prisonnier.

Personne n'osait bouger. Les élèves
tremblaient de la tête aux pieds. La
maîtresse, transformée en statue, écar-
quillait les yeux et bégayait :

— Il il il faut… Il faut faire quéqué-
qué… quelque chose…

L'aigle écarta ses ailes et s'envola,
emportant K.O vers son repaire. À ce
moment-là, un petit kangourou apparut
sur le sentier : un kangourou de rien du
tout, ridicule, minuscule !

— Ridiclou… chuchota
Matuvu. Ça alors, on aura tout vu !

Oui, c'était bien Ridiclou !
Sans réfléchir, il bondit hors de sa
cachette… Une vraie fusée !

Et il sauta une fois, deux fois, trois fois en direction de l'aigle géant. À chaque saut, il tendit les poings et paf ! il les envoya le plus fort possible dans le tas de plumes brunes.

Pif ! Paf ! Pif ! Paf !

L'aigle n'en revenait pas : quelle était cette ridicule bestiole qui le chatouillait ? Surpris, il lâcha K.O qui retomba sur le sol et il s'élança vers Ridiclou, en grondant :

— Minuscule kangourou ! Dans une minute, tu ne vaudras plus un clou. Où es-tu ? Où te caches-tu ?

L'aigle au regard perçant regarda de tous les côtés… Ridiclou avait disparu. Il sautait si vite : un, deux, trois, hop là ! Il sautait si loin : un, deux, trois, hop là ! que personne ne le voyait.

Furieux, l'aigle claqua du bec. Il fit demi-tour et repartit chez lui.

Alors tous les kangourous et la maîtresse sortirent de leurs cachettes et s'écrièrent :

— Hourra ! Bravo Ridiclou !

— Merci Ridiclou ! dit le gros K.O. Tu n'es pas ridicule du tout.

Et Matuvu ajouta avec un sifflement admiratif :

— Ça alors ! Ridiclou est le seul kangourou qui saute plus vite que son ombre ! On n'a jamais vu ça ! Tu finiras dans le livre des records !

À partir de ce jour-là, personne ne se moqua plus de Ridiclou. Et quand on avait besoin d'attraper un ballon coincé au sommet d'un arbre, de courir prévenir les pompiers, de passer par la fenêtre du premier étage car on avait oublié la clef… on appelait toujours le petit kangourou de rien du tout :

— Ouh ouh ! Ridiclou ! À la rescousse !

Ridiclou, le kangourou qui sautait plus vite que son ombre !

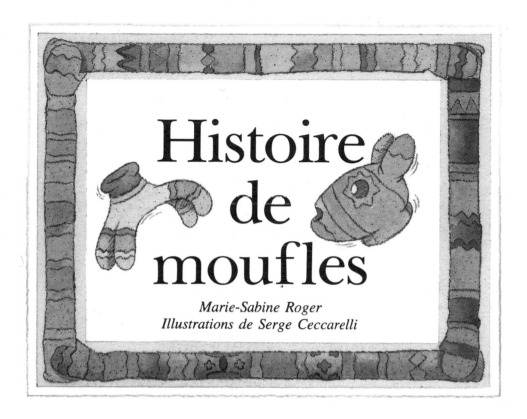

Histoire de moufles

Marie-Sabine Roger
Illustrations de Serge Ceccarelli

Il y a des mamies qui tricotent des pull-overs, des écharpes, des gilets. Des mamies qui tricotent pour leurs petits-enfants et pour les petits-enfants des autres.

Et puis il y a ma mamie à moi.

On l'appelle Mamimoufle, parce qu'elle ne tricote que des moufles.

Les moufles, ce sont des sortes de gants sans doigts. Comme des sacs pour les mains, ou des cagoules fermées.

Les moufles, c'est bien. Sauf qu'on ne peut rien attraper avec, ni jouer aux billes !

Mamimoufle a tricoté des moufles pour mon frère, ma sœur et moi. Pour mes deux cousines, ma tante et mon oncle. Pour ma maman. Pour mon papa. Des moufles rouges, vertes, bleues, à rayures, à pois, à dessins.

Maman dit que les moufles, ce n'est pas pratique pour faire la cuisine.

Papa dit que ce n'est pas pratique pour aller à la pêche.

Ma sœur dit qu'avec des moufles elle n'arrive plus à déshabiller sa poupée.

Mon oncle dit que pour jouer aux cartes, ce n'est pas l'idéal, et ma tante n'arrive plus à coudre ses ourlets.

Alors bon ! Que faire ?

Mamimoufle est une gentille mamie, et son seul plaisir est de tricoter. Mais nous, les moufles, on en a marre !

C'est ma sœur qui a eu l'idée !

— Et si on emmenait mamie au zoo ? Ça l'occuperait ! Elle ne penserait plus à tricoter !

— Excellente idée ! s'est exclamé papa.

On a décidé d'aller au zoo le dimanche suivant. Mamimoufle était bien contente.

— Ah, mes chers petits, disait-elle, que vous êtes mignons de m'emmener au zoo. Cela me fait tellement plaisir !

Il faisait un peu froid. Alors on a tous mis nos blousons, nos bonnets, nos écharpes... et nos moufles !

Mais arrivés là-bas, voilà que mamie s'est mise à s'inquiéter, à la vue de tous ces animaux en cage, tout seuls l'hiver, et ceci, et cela...

Elle s'est arrêtée devant l'enclos du « Nezléphant », elle a papoté avec l'« Amie-gale » velue, dans sa petite cage de verre. Elle a longuement parlé au « Père Hoquet », puis elle a blagué avec le « Gros Madaire », et elle a discuté affaires avec le « Sirocinos », qui ressemble à un tank avec deux cornes au bout du nez.

Nous, on ne s'occupait pas de ses affaires, on observait les singes qui regardaient nos moufles et qui riaient beaucoup.

Le soir en rentrant, on a vu Mamimoufle sortir ses aiguilles à tricoter et ses pelotes de laine. On n'a rien osé dire, mais on a tous poussé un gros soupir navré. Encore des moufles !

Mais Mamimoufle s'est mise à tricoter des choses, des machins, enfin, des trucs bizarres.

D'abord un grand tuyau rouge, comme une longue chaussette sans pied. Et puis des petits tubes, quatre violets, quatre jaunes, une grande poche bariolée, et puis des moufles à quatre doigts, et une grande cagoule à sept trous…

Au fur et à mesure, Mamimoufle rangeait tout dans une grande poche.

Et le dimanche suivant, elle nous a dit de sa gentille voix :

— Si on me le proposait, j'aimerais bien retourner au zoo…

Elle a voulu absolument prendre avec elle son grand sac à tricot.

Papa n'osait rien dire, mais il avait l'air un peu soucieux…

Une fois au zoo, on a vite compris !

Mamimoufle est tout d'abord allée voir le Nezléphant, et elle lui a donné la grande chaussette sans pied. Alors le Nezléphant a enfilé cette grande moufle-à-nez sur sa trompe, avec l'aide de mamie, bien sûr. Et il a poussé un barrissement de joie.

Ensuite nous sommes allés voir le Gros Madaire, et Mamimoufle lui a offert le grand sac bariolé, qui était une moufle-à-bosse, et il est devenu le Gros Madaire le plus coloré du monde.

Au Père Hoquet, elle a donné les moufles à quatre doigts, une verte, une rose.

Ensuite, nous avons habillé l'Amiegale, un tube par patte, une patte par tube, quatre violets, quatre jaunes.

Enfin nous avons porté au Sirocinos la cagoule à sept trous, deux pour les oreilles, deux pour les yeux, un gros trou pour la grosse corne, un petit trou pour la petite corne, et un dernier trou pour la bouche.

Et puis Mamimoufle, après avoir embrassé tous ses nouveaux amis, s'est tournée vers nous, et a dit :

— Et tous ces pauvres singes, là-bas, vous ne croyez pas qu'ils doivent avoir froid aux pattes ?…

Moi, je crois bien qu'on reviendra au zoo dimanche prochain !

Le roi du potager

Marie-Sabine Roger
Illustrations de Serge Ceccarelli

Moustache le chien se réveille en sursaut. Il lui semble avoir entendu un bruit de voix, là-bas, du côté du potager.

La lune est haute dans le ciel, elle est toute ronde et brillante, et éclaire le jardin d'une drôle de lumière blanche.

Moustache s'apprête à se rendormir avec un soupir lorsque, de nouveau...

Non, décidément il lui faut aller voir ce qui se passe ! Les oreilles pointées, le sourcil soupçonneux, Moustache marche à pas lents vers le fond du jardin. Le murmure de conversation se fait plus distinct. Plusieurs petites voix se répondent. Certaines sont très aiguës, d'autres plus graves, mais toutes semblent très énervées.

Moustache risque un bout de truffe à travers les lauriers, et il voit...

... Il voit tous les légumes en grande conversation.

— Non et non ! s'écrie le Concombre d'un air sombre. Je vous répète que je suis le mieux placé pour être élu roi : je suis le plus craquant, le plus long, le plus vert, le plus...

— Permettez, interrompt la Tomate en rougissant, mais il me semble que moi-même...

— Tatata ! ronchonne le Cornichon. Vous ne prétendez quand même pas être élue ? Regardez-vous ! On n'a pas idée d'être aussi ronde, ni aussi rouge ! Tandis que moi !

— Vous ! Un misérable cornichon ! Et qui n'aime pas ce qui est rond ! s'exclame le Potiron.

— Il faut voter, reprend le Concombre.

— Oui ! Votons ! Votons ! s'écrient les plantes potagères.

Moustache n'en croit pas ses yeux : il voit le Concombre chausser une paire de lunettes et lire d'une voix forte une liste de noms.

— La Laitue !

— Trop têtue ! répond le chœur des légumes.

— Le Cornichon !

— Trop ronchon !

— La Patate !

— Hé, patate ! dit une voix.

— Le Chou-Fleur !

— Et ta sœur ! reprend la voix.

On entend des rires dans la foule.

— Allons, allons ! dit le Concombre d'un air fâché. Puis il reprend :

— La Carotte !

— Un peu sotte... murmurent les uns.

— La Courgette !

— Un peu bête... soupirent les autres.

— Le Pissenlit !

— Malpoli ! hurlent-ils tous ensemble.

— Mince alors, c'est même pas vrai, zut et flûte ! s'écrie le Pissenlit.

Et ainsi de suite...

À chaque nom que le Concombre

annonce, les autres huent, sifflent et se moquent.

Le spectacle est tellement drôle que Moustache ne peut se retenir. Il éclate d'un grand rire de chien.

— Ouah ah ah ! ouah ah ah ! ouah ah ah !

— Au secours, quelqu'un vient !

— Ciel ! Le jardinier !

Tous les légumes reprennent précipitamment leur place.

Ils se piétinent, se mettent sens dessus dessous.

La Carotte reste plantée en l'air, pendant que la Salade plonge la tête la première dans un trou.

La Tomate roule sur les pieds des Haricots qui hurlent. L'Asperge reste coincée sous le Potiron… C'est une vraie pagaille.

— Calmez-vous, dit Moustache. C'est moi, le chien.

Alors les légumes se taisent peu à peu, et sortent de leurs trous.

— C'est la pleine lune, explique le Concombre. À chaque pleine lune, nous devons élire le roi du potager.

— Vous vous disputez comme ça à chaque fois ?

— Oui… répondent les légumes d'un air penaud.

— Et vous arrivez quand même à choisir quelqu'un ?

— Ben… Non.

— Et si je vous aidais à choisir ?

— Oui ! Oui ! Bravo, le chien ! Vas-y Moustache ! Oui !

Les applaudissements fusent de toutes parts.

Alors Moustache se place au milieu des légumes sagement assis en rond. Et il dit :

— Plouf ! Plouf ! Un toi, deux toi, trois toi, quatre toi, cinq toi, six toi… C'est toi !

Le Petit Pois n'en revient pas.

— Quoi ? Moi ? Roi ? Moi ? Le Pois ? bredouille-t-il.

— Vive le roi Pois ! Vive le roi Pois !

Moustache se lève en bâillant et dit d'un air sévère :

— Le mois prochain, le roi Pois choisira lui-même son successeur, et maintenant, laissez-moi dormir !

— C'est promis, c'est promis ! répond le roi du potager.

Alors Moustache repart tranquillement vers sa niche, sous les bravos des légumes ravis.

Où est passée la baguette de la fée Charlotte ?

Marie-Odile Judes
Illustrations de Serge Ceccarelli

La fée Charlotte est étourdie : elle perd souvent sa baguette magique. Et une fée sans baguette, c'est comme une tarte aux fraises sans fraises.

— Tu n'as pas vu ma baguette, Tartopom ? demande-t-elle à son chat.

Tartopom secoue la tête.

— Aide-moi à la retrouver !

Le chat se glisse sous les meubles, regarde dans la poubelle : pas de baguette magique !

Charlotte ouvre des tiroirs, vide ses placards : pas de baguette magique !

La fée court chez son voisin, monsieur Pâtabrioche.

Monsieur Pâtabrioche est pâtissier. Il fait de fabuleux desserts : des mousses, des tartes, des gâteaux… sauf des babas au rhum car il a horreur de ça.

Monsieur Pâtabrioche porte un grand chapeau blanc qui ressemble à une brioche bien levée.

— Bonjour, monsieur Pâtabrioche… je suis à la recherche de ma baguette magique !

Monsieur Pâtabrioche fronce les sourcils :

— Vous l'avez encore perdue ?

— Oui ! répond la petite fée en baissant la tête.

— Une fée sans baguette n'est plus une fée ! décrète monsieur Pâtabrioche. Et il ferme sa porte au nez de Charlotte.

— Ah, c'est comme ça ? s'écrie la fée indignée, quand j'aurai retrouvé ma baguette, je vous donnerai une leçon, monsieur Pâtabrioche !

Charlotte rentre chez elle très en colère.

Elle retrouve sa baguette dans le réfrigérateur, derrière une boîte de petits-suisses.

La nuit venue, la fée retourne chez son voisin.

Devant la maison de monsieur Pâtabrioche, elle prononce une formule bizarre :

— Togatétou Romobaba !

Puis elle donne trois petits coups de baguette magique sur la porte du pâtissier.

Son travail terminé, elle va se coucher.

Le lendemain matin, monsieur Pâtabrioche fait irruption dans la cuisine de Charlotte. Il est plus blanc que la farine et son grand chapeau est de travers.

— Bonjour, monsieur Pâtabrioche… voulez-vous une tasse de thé ? demande la fée.

— Non merci ! Il m'arrive une catastrophe : les douze tartes aux pommes que j'avais confectionnées se sont transformées en douze vilains babas au rhum !

— Un pâtissier qui ne sait faire que des babas au rhum n'est pas un bon pâtissier ! décrète Charlotte.

Et elle met son voisin à la porte.

Le surlendemain matin, monsieur Pâtabrioche tambourine à la porte de Charlotte. Il est plus blanc que du sucre glace et son grand chapeau est tout froissé.

— Bonjour, monsieur Pâtabrioche… comme vous êtes pâle ! dit la fée.

— Il faut que vous m'aidiez ! Mes desserts sont ensorcelés : ils se transforment en babas au rhum les uns après les autres !

— Évidemment, je vous ai jeté un sort !

Monsieur Pâtabrioche éclate en sanglots :

— Bou-ou-ouh… si vous ne m'aidez pas, je ne ferai jamais plus d'éclairs au chocolat !

Charlotte est embêtée car elle aime beaucoup les éclairs au chocolat de monsieur Pâtabrioche.

— Je veux bien rompre ce sort si vous me promettez de ne plus m'offenser !

Le pâtissier promet de ne plus vexer la petite fée.

— Bon… dit Charlotte, je vais vous désensorceler !

Elle prononce une formule bizarre :

— Togatétou Bon Bon Miam-Miam !

Puis elle donne trois petits coups de baguette magique sur le chapeau du pâtissier.

— Voilà ! s'écrie la fée. Vos desserts ne se transformeront plus en babas au rhum !

Monsieur Pâtabrioche danse de joie.

— Merci, merci ! Je suis le plus heureux des pâtissiers !

Et il se dépêche de rentrer chez lui car il veut offrir à Charlotte le plus gros gâteau qu'il ait jamais fait.

Si je transformais la maîtresse...

Ann Rocard
Illustrations de Serge Ceccarelli

Moi, je m'appelle Julien. Je suis dans la classe de madame Mouli-moulin.

Quelquefois, je rêve un peu : je fais semblant d'avoir une baguette magique entre les doigts. Je prononce une super-formule : abracadabri abracadabra… chocoli et chocola…

C'est une formule pour transformer les maîtres et les maîtresses… Mais chut ! Personne ne le sait !

Abracadabri abracadabra… chocoli et chocola… Et si je transformais ma maîtresse en grenouille ou en éléphant ? En crocodile ou en serpent ? J'ai essayé, essayé, essayé, mais ça n'a jamais marché !

Ce matin, tous les élèves sont assis dans la classe. La directrice nous a dit :

— Madame Mouli-moulin est un peu en retard. Prenez un livre en l'attendant.

C'est bizarre… La maîtresse n'est jamais en retard. C'est peut-être ma formule magique qui a enfin marché…

Je jette un coup d'œil par la fenêtre et j'aperçois un petit ver qui se dandine dans le bac à fleurs. Oh, là, là : que faire ? Madame Mouli-moulin est sûrement transformée en ver de terre !

Je regarde le plafond de la classe et j'aperçois une petite bête qui tisse sa toile sans s'arrêter. Oh, là, là : que faire ? Madame Mouli-moulin est sûrement transformée en araignée.

Je pose la main sur ma table et j'aperçois une petite fourmi qui trottine sur mes doigts, qui trottine sur mon bras. Oh, là, là : que faire ? Madame Mouli-moulin est sûrement transformée en fourmi et elle a décidé de se venger ! Plus d'abracadabri abracadabra ! Plus de chocoli et chocola !

À ce moment-là, la porte de la classe s'entrouvre... Qui va entrer : une grenouille ou un éléphant ? Un crocodile ou un serpent ?

— Bonjour les enfants ! dit une voix bien connue.

C'est la maîtresse ! C'est madame Mouli-moulin !

Dans le bac à fleurs : il n'y a plus de petit ver ! Sur le plafond : plus d'araignée ! Sur mon bras : plus de fourmi !

Ma formule magique a peut-être marché... Mais je ne la dirai plus : turlututu chapeau pointu ! Je ne la dirai plus jamais : ça c'est bien vrai !

Le jardin de Patteluche

Marie-Sabine Roger
Illustrations de Serge Ceccarelli

Patteluche est une peluche, il est noir et blanc. Noirs ses yeux ronds, son nez rond, ses oreilles rondes. Blanche sa queue en pompon, ses moustaches et son menton.

Patteluche a un jardin, au pays de Boudumonde. Il y cultive des fleurs d'ailleurs et des plantes de nulle part.

Au printemps, Patteluche récolte des bouquets de vent et de lune, des brassées d'étoiles bleues, de la Patience et du Bonheur.

Il sème pour l'été des graines de vacances, qui feront pousser des bateaux, des bouées et des ballons. Et pour l'hiver il plante des bulbes de bonshommes de neige, des oignons de guirlandes de Noël et d'étoiles de givre.

Tout le monde aime Patteluche.

Tout le monde ? Non, hélas ! Sa voisine, madame Laide, ne peut pas supporter Patteluche, si gentil et si heureux. Elle déteste son jardin si joli, si bien fleuri.

Chez elle ne poussent que les orties, le chiendent, la misère et les soucis.

Cette nuit, pendant que tout le monde dormait, madame Laide est allée à pas de loup dans le jardin de Patteluche. Elle a jeté de-ci, de-là, des graines marron, grises ou noires.

Puis en riant méchamment — mais sans bruit, chuuuttt ! — elle est retournée se coucher.

Au matin, Patteluche est venu dans son jardin, tout content, en sifflant et en chantant.

Mais que, mais quoi, mais qu'est-ce que c'est que ça ?

À la place du Bonheur rose, dans la rangée du fond, poussent des pieds de Jalousie, vert fiel et jaune bile.

Au lieu de ses étoiles bleues, ce sont des plants de Désespoir, noirs à pois sombres.

Là où hier encore poussaient des gerbes de vent et de lune, on voit maintenant fleurir des plants de Malaise, d'un affreux gris contrariété.

Là, du Chagrin ; là, de la Haine ; là encore de la Médisance, de l'Envie et du Mensonge, envahissant tout en touffes rampantes, avec des feuilles grises et noires, des fleurs étriquées, maladives, et tristes, tristes à pleurer...

Alors Patteluche s'assied, et pleure. Il pleure son joli jardin d'hier où tout brillait, où tout était souriant.

Par-dessus la haie, madame Laide regarde son travail avec satisfaction, un affreux sourire sur sa vilaine figure.

Mais Patteluche pleure tant et tant qu'un ruisseau de larmes coule à terre, et baigne peu à peu son jardin.

Alors madame Laide n'en croit pas ses yeux...

Là, devant elle, pratiquement sous son grand nez, les pieds d'Angoisse se redressent, changent de couleur petit à petit, et deviennent d'un beau bleu lumineux !

Sur les pieds de Jalousie fleurissent de gros pompons roses et mauves... Les Malaises, les Chagrins, les Mensonges se teintent de vert vif, de jaune citron et d'orangé...

Patteluche qui pleurait toujours finit par ouvrir les yeux. Il les frotte de toutes ses forces, et les ouvre plus grands encore : son jardin est plus beau qu'il n'a jamais été...

Et de l'autre côté de la haie, madame Laide, bleue de rage, est encore plus laide que d'habitude !

Drôle de drap pour un fantôme !

Ann Rocard
Illustrations de Serge Ceccarelli

Pomme est un petit fantôme à la tête ronde. Il habite près d'ici, dans le grenier de la villa Sans-souci.

Il porte un large drap blanc, parfaitement repassé, et un joli collier de clochettes. Ainsi, quand il secoue la tête, on entend sonner, sonner, sonner…

Chez Pomme, tout est rangé, impeccable, sans le moindre grain de poussière.

Chaque jour, le petit fantôme vérifie le bon fonctionnement de ses machines ; car il faut bien le dire, il a la passion des moteurs et des ordinateurs.

— Pom' de reinette et pom' d'api ! Je suis le fantôme le plus moderne du pays !

Il possède un téléphone-aspirateur, un lit à ressorts avec un ascenseur, un fer à repasser téléguidé, une baignoire à réaction et un aquarium rempli de robots-poissons.

Ce matin, Pomme enlève son drap de nuit couvert de petits nuages et il cherche son drap de jour, son superbe drap blanc… Où l'a-t-il donc rangé ?

— Pom' de reinette ! s'écrie le fantôme. Où ai-je donc la tête ? Il est dans la machine à laver !

Pomme ouvre la machine et il en sort… Catastrophe ! Un drap tout rose ! Il avait oublié une boule de papier dans la poche et maintenant, le drap a changé de couleur.

— Pom' d'api… gémit le fantôme. Je ne vais pas sortir tout nu dans la rue !

Alors, il enfile son drap et il écarquille les yeux : sur la table rose, il aperçoit des petits pois roses, des tartines roses, une glace au citron rose bonbon !

Très étonné, Pomme jette un coup d'œil par la fenêtre du grenier : des nuages roses glissent sur le ciel rose… et le fantôme agite ses clochettes, en soupirant :

— Pom' de reinette ! Je vois la vie en rose… Si ça continue, je vais en attraper une jaunisse…

À ce moment-là, il entend une petite voix qui chuchote :

— Ne te plains pas !

C'est une fourmi minuscule qui gesticule sur les boutons de l'ordinateur.

— Ne te plains pas ! répète la fourmi.

— Facile à dire, grogne Pomme.

— Moi, dit la fourmi, j'aimerais bien changer de costume et voir la vie en rose… en bleu, ou en jaune !

Le fantôme fronce les sourcils : ah ah, pourquoi pas ? Aussitôt il court chercher du tissu, des ciseaux, du fil et sa super-machine à coudre dernier modèle.

Tchic tchac ! Le voilà qui découpe de nouveaux draps de jour : un bleu, un jaune et un vert

devant la villa Sans-souci deux drôles de fantômes roses, bleus ou jaunes : un tout petit avec deux antennes noires et un plus grand avec une tête ronde comme une pomme.

Et les deux fantômes chantonnent, chantonnent :

Pom' de reinette et pom' d'api !
C'est nous les fantômes de jour :
Bonjour ! Bonjour !
C'est nous les fantômes de nuit :
nous avançons sans fair' de bruit...
Plus de souci !
Youpi !

pour lui... un bleu, un jaune et un vert pour la petite fourmi.

Crrrrrrrr... Les draps sont vite finis ! Pomme et la fourmi les enfilent, puis ils se mettent à rire et à danser.

Depuis ce jour-là, on aperçoit parfois

Les clochettes carillonnent, les deux fantômes chantonnent jusqu'à minuit !

Si vous les entendez, si vous les rencontrez... n'ayez pas peur, ne tremblez pas, et surtout répétez :

Vive Pomme ! Vive la fourmi ! Pom' de reinette et pom' d'api !

Petigris,
le poney de bois

Ann Rocard
Illustrations de Serge Ceccarelli

Petigris est un poney de bois. Il vit sur un beau manège doré et toute la journée, il tourne, tourne sans s'arrêter. Mais Petigris n'a pas d'ami et il s'ennuie.

Alors, une nuit, Petigris regarde autour de lui : tout le monde est endormi. Le poney, sans un bruit, descend du manège et il s'enfuit à travers les rues.

Petigris trotte sous la lune. Il est enfin libre de sauter, de danser, de croquer de petites herbes tendres comme il n'en a jamais goûté. Et il crie à tue-tête :

— Youpi ! Vive la liberté !

Le lendemain, le petit poney découvre des inconnus près d'un ruisseau.

— Bonjour ! dit-il. Je m'appelle Petigris. Je peux jouer avec vous ?

— Si tu veux, répondent les papillons. Mais il faut savoir voler !

— Si tu veux, disent les poissons. Mais il faut savoir nager !

Et un gros oiseau ajoute d'une voix moqueuse :

— Quoi : un cheval de bois qui voudrait vivre comme nous ? Sûrement pas !

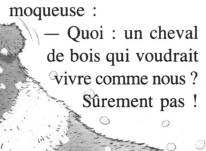

Petigris, déçu, baisse la tête. Il fait demi-tour et s'éloigne entre les fleurs.

Le petit poney se sent soudain très seul. Devant lui se dressent des collines de sapins. Petigris se met à trotter…

— Je trouverai des amis, décide-t-il, même si je dois galoper tout autour de la terre !

Le temps passe lentement. L'automne est presque terminé et Petigris poursuit toujours son voyage.

Un matin, la neige se met à tomber : des plumes-flocons, douces comme du coton, volent de tous les côtés.

Tout à coup, le poney entend quelqu'un pleurer. Il cherche, cherche… et finit par découvrir un mouton caché sous un buisson.

— Je suis perdu, gémit Mirliton le mouton. Mon troupeau a disparu.

— Viens avec moi, propose Petigris.

Un peu plus loin, le poney et Mirliton découvrent un cochon tout rond à la queue en tire-bouchon.

— Rrrron, rrron, je m'ennuie, ronchonne Bouchon le cochon.

— Viens avec nous, propose Petigris.

Le poney, Mirliton et Bouchon s'éloignent en sautillant.

— Rrron, rrron, je suis ravi ! répète le cochon.

Mais quelqu'un n'est pas de cet avis : c'est Carolin, un gros chien assis au bord du chemin.

— Ouah ! aboie-t-il. Moi je suis triste car je n'ai aucun ami.

— Viens avec nous, propose Petigris.

Tous les quatre marchent longtemps, longtemps. L'hiver est fini. Les cerisiers refleurissent.

Un matin, ils arrivent dans une grande ville et ils aperçoivent un vieux manège sans le moindre cheval de bois.

— J'ai une idée ! dit Petigris.

Le poney entraîne ses trois amis. Ils grimpent sur le manège et commencent à trottiner.

Quand les habitants s'éveillent et sortent dans les rues, ils s'écrient :

— Venez voir : le manège tourne ! Le manège est réparé !

Tous les enfants accourent et s'assoient aussitôt sur le dos de Petigris et de Carolin, de Bouchon et de Mirliton.

Alors le petit poney se met à chanter :

Le manège va tourner,
tourner toute la journée.
Venez tous voir Petigris
qui plus jamais ne s'ennuie
depuis qu'il a des amis !

Et tous les enfants, ravis, répètent sa chanson jusqu'à la tombée de la nuit.

Qui a peur de l'ordinateur?

Ann Rocard
Illustrations de Patrick Royer

Garomoteur est un énorme ordinateur. Il ressemble à un robot géant, couvert de boutons, d'antennes, de ressorts et de lumières qui clignotent. Un robot qui parle !

Quand mon père part travailler, il tremble de la tête aux pieds.

Chaque matin, je lui demande :

— Pourquoi trembles-tu, papa ?

— J'ai peur…

— Tu as peur de quoi ?

— J'ai peur de l'ordinateur…

Moi, j'essaie de le rassurer :

— Ne t'en fais pas ! Il ne va pas te manger.

— On ne sait jamais… chuchote mon père qui s'éloigne sans bruit.

Bizarre ! Normalement, les pères n'ont peur de rien. Pourquoi pas le mien ?

Je jette un coup d'œil par la fenêtre… et qu'est-ce que j'aperçois ? Tous les messieurs et les dames qui travaillent dans le même bureau que mon père : ils marchent sur la pointe des pieds, rongeant leurs ongles ou tortillant leur moustache… Ils gigotent, ils tremblotent en murmurant :

— Peur… peur… On a peur de l'ordinateur…

Ça ne peut plus durer ! J'attrape mon pistolet à eau et je les suis sans me faire remarquer. Je me glisse derrière eux dans l'immeuble… Je m'approche du robot géant et je dis d'une grosse voix :

— C'est toi qui fais peur à mon père ?

— Il ne travaille pas assez vite, il ne travaille pas assez bien ! répond Garomo-

teur. Comme tous ses voisins, d'ailleurs ! Que veux-tu, gamin ?

— Haut les mains !

— Je n'ai pas de mains ! s'amuse Garomoteur.

— Haut les pieds !

— Je n'ai pas de pieds ! se moque Garomoteur.

Cet ordinateur de malheur commence à m'énerver. Je dirige vers lui mon pistolet… Je suis prêt à tirer, quand soudain toutes les lampes se mettent à clignoter et Garomoteur s'écrie :

— Pitié ! Pitié ! Pas d'eau !

Eurêka ! Je viens de trouver une idée.

Vite, je rentre chez moi ; je casse ma tirelire et avec mes sous, j'achète une caisse entière de pistolets à eau.

Depuis ce jour-là, personne n'a plus peur de l'ordinateur. Quand il grogne, quand il gronde ou qu'il lance des éclairs, mon père et ses voisins sortent leur pistolet de leur poche… et le terrible Garomoteur se calme aussitôt, en suppliant :

— Pitié ! Pitié ! Pas d'eau !

Vraiment, je suis un héros !

Bibo
le gibbon

Ann Rocard
Illustrations de Patrick Royer

Bibo est un petit singe aux longs bras qui vit tout en haut d'un arbre avec Bill son papa gibbon, et Bulle sa maman.

Bibo est un vrai Tarzan : il s'élance de branche en branche en criant « Yaoooooooh ! »... si fort que Bilboquet le perroquet croit parfois qu'il y a un monstre dans la forêt.

Ce que Bibo préfère : c'est inventer des histoires et raconter des mensonges aussi gros que des hippopotames.

— L'autre jour, dit-il, j'ai rencontré un tigre qui sautait à la corde, un éléphant en trottinette et une girafe qui faisait la galipette : c'est la vérité, promis juré, parole de gibbon gibounet !

Bilboquet le perroquet hoche sa tête emplumée :

— Ça finira mal, ronchonne-t-il, ça finira mal...

Mais le petit gibbon ne l'écoute pas. Il saisit une liane et s'envole en direction de la rivière jaune.

À la surface de l'eau flottent de longs troncs d'arbres verts : ce sont les terribles crocodiles commandés par Bradefer !

Bibo éclate de rire. Il se croit fort comme un gorille et il n'a peur que d'une seule chose : des fessées de papa Bill.

Zip... le petit gibbon s'élance au-dessus de la rivière. Il cueille au passage une fleur de nénuphar et la pique derrière son oreille. Puis il rejoint ses parents en riant.

— Où étais-tu Bibo ? s'inquiète maman Bulle. Tu n'as pas été à la rivière jaune ?

— Tu sais qu'on te l'a interdit, ajoute papa Bill.

Bibo plisse les yeux et il prend son air le plus sage possible :

— Moi ? Je n'y vais jamais ! C'est la vérité, promis juré, parole de gibbon gibounet !

Maman Bulle regarde la fleur de nénuphar : bizarre, bizarre, on n'en trouve qu'au bord de l'eau...

Papa Bill fronce les sourcils : étrange, étrange, qu'a donc inventé ce coquin de Bibo ?

Et sur la branche voisine, le perroquet répète en claquant du bec :

— Ça finira mal, ça finira mal...

Mais le petit gibbon s'allonge entre les feuilles et il finit par s'endormir.

Le lendemain, quand Bibo se réveille, la fleur de nénuphar est toute fanée... « Il m'en faut une autre », pense-t-il.

Et il demande à maman Bulle :

— Je peux aller jouer ?

— Oui, mais surtout pas à la rivière ! répond maman gibbon.

— Je n'y suis jamais allé ! chantonne Bibo. C'est la vérité, promis juré, parole de gibbon gibounet !

Pourtant, où se dirige aussitôt ce coquin de Bibo ?

— Yaoooooooh ! Droit sur la rivière jaune !

Inquiets, les animaux de la forêt le regardent passer.

Un bouquet d'oiseaux multicolores s'envole autour de lui :

— Piou pit pit pit ! Il est fou, complètement fou !

Sylvanus, le serpent plein d'astuce, s'enroule sur une grosse branche en sifflant :

— Ssssss… Il est sot, complètement sot !

Même les poissons carnivores font des bulles dans l'eau :

— Bloup bloup… Il est bloup, complètement bloup !

Bibo hausse les épaules. Il se croit le plus costaud du monde et il se balance au-dessus de la rivière jaune d'un côté… de l'autre… d'un côté… de l'autre…

Quand tout à coup, un tronc d'arbre vert agite sa longue queue et ouvre une large gueule remplie de dents pointues :

— Que viens-tu faire chez Bradefer ?

— Je me promène, répond Bibo.

— Qui m'a volé une fleur de nénuphar hier après-midi ? gronde le chef des crocodiles.

Le petit gibbon secoue la tête :

— Pas moi ! Pas moi ! C'est la vérité, promis juré, parole de gibbon gibounet !

Alors le crocodile roule ses yeux méchants… Il frappe la surface de l'eau du bout de sa queue et il gronde comme le tonnerre :

— Tu as menti ! Aussi vrai que je m'appelle Bradefer, tu vas le regretter !

Le chef des crocodiles saisit Bibo par le pied et il le lance dans une cage qui flotte sur l'eau.

Le petit gibbon a beau pleurer, crier et répéter :

— Je ne l'ai pas fait exprès… Je ne recommencerai plus : c'est la vérité, promis juré, parole de gibbon gibounet !

Bradefer lui tourne le dos et ricane :

— Eh eh eh, c'est décidé, je te mangerai pour mon dîner !

Quelqu'un a tout observé : c'est Bilboquet, perché en haut d'un palmier.

— Je savais bien que ça finirait mal… soupire-t-il. Que faire pour le sauver ?

Le perroquet réfléchit, réfléchit… mais il n'est pas le seul à vouloir délivrer le petit gibbon.

— Piou pit pit pit, il est complètement fou. On ne va pourtant pas le laisser là… pépient les oiseaux multicolores.

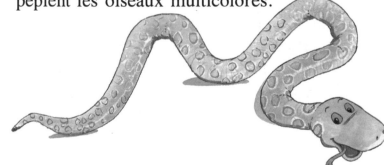

— Ssssss, il est complètement sot ; mais il faudrait l'aider… siffle Sylvanus, le serpent plein d'astuce.

— Bloup bloup, il est complètement bloup ; ce n'est pas une raison pour que Bradefer le dévore sans nous en laisser une bouchée, protestent les poissons carnivores.

Bilboquet se décide enfin. Il ordonne aux oiseaux d'aller chercher papa Bill et maman Bulle.

— Piou pit pit pit... d'accord ! font les oiseaux qui s'envolent aussitôt.

Il montre au serpent une grosse branche au-dessus de la rivière :

— Installe-toi là et laisse-toi pendre dans le vide !

— Sssss... d'accord ! dit Sylvanus.

Quant aux poissons, ils se cachent sous la coque de la cage et ils laissent éclater quelques bulles à la surface de l'eau : bloup bloup bloup bloup...

Les parents gibbons arriveront-ils à temps ?

L'heure du dîner approche. Bradefer nage lentement vers son prisonnier.

— Tu as fini de pleurer ? grogne-t-il.

— Oh oui : c'est la vérité, promis juré, parole de gibbon gibounet, chuchote Bibo qui ne se sent plus costaud du tout.

Pendant ce temps, les poissons carnivores rongent la base des barreaux de la cage...

Sylvanus se laisse glisser juste au-dessus, agrippant la grosse branche du bout de la queue...

Et tout à coup, papa Bill et maman Bulle apparaissent entre les arbres...

— Piou pit pit pit ! murmurent les oiseaux multicolores. Vite, avant qu'il ne soit trop tard !

Le chef des crocodiles n'est plus qu'à un mètre de la cage...

À ce moment-là, Sylvanus la soulève... Papa Bill et maman Bulle prennent leur élan ; ils saisissent une liane, s'élancent au-dessus de la rivière et attrapent leur petit gibbon par la patte, sous le nez du terrible Bradefer !

— Tonnerre ! rugit le crocodile en colère.

Yaooooooh ! Bibo est sauvé !

Ses parents l'entraînent loin de la rivière jaune. Le petit gibbon ferme les yeux et il se serre très fort contre papa Bill et maman Bulle.

— Je savais que ça finirait bien, dit le perroquet ému.

— Piou pit pit pit ! Nous aussi ! pépient les oiseaux.

— Ssss... Je n'en étais pas si sûr, siffle le serpent plein d'astuce.

— Bloup bloup bloup ! ajoutent les poissons malins.

Et le chef des crocodiles ? Il est tellement furieux qu'il finit par s'étrangler : c'est la vérité, promis juré, parole de gibbon gibounet !

Le polochon-à-ressort

Ann Rocard
Illustrations de Patrick Royer

Avant d'écouter la fabuleuse histoire du polochon-à-ressort, il faut d'abord faire :

une galipette
le tour de la pièce à cloche-pied
et répéter sans te tromper
PA TI POU TI PO TI PETTE
PERLIPOPETTE ET CACAHUÈTE !

Ça y est ? C'est terminé ? L'histoire va commencer...

Sidonie était une drôle de petite fille qui n'avait ni frère ni sœur. Ses parents partaient tôt le matin à leur travail, et le mercredi, Sidonie restait toute la journée seule chez elle.

D'abord elle faisait :

une galipette sur le lit,
puis une autre sur le tapis...
Ensuite le tour de la pièce sur le pied droit, puis dans l'autre sens sur le pied gauche...

Elle finissait par s'ennuyer terriblement.

« Et si je montais au grenier ? » se dit-elle un jour.

On lui avait raconté qu'un tigre-au-regard-de-feu se cachait là-haut. La petite fille l'avait parfois entendu grogner, griffer ou marcher sur la pointe des pattes, pendant la nuit...

La porte de l'escalier qui menait au grenier était fermée à clef. Les parents de Sidonie rangeaient les clefs en haut du grand buffet.

Comment les atteindre ?

— Je vais fabriquer une tour... décida-t-elle.

Elle monta sur une pile de livres posée sur un tabouret placé sur la table, et elle attrapa la clef du grenier... avant de plonger la tête la première sur le tapis, avec le tabouret et les cinq gros livres !

Ensuite, la petite fille prit une lampe de poche et elle monta lentement l'escalier étroit. Elle poussa la vieille porte : grrr...

Était-ce le tigre-au-regard-de-feu qui rugissait ? Grrr...

Sidonie soupira :

— Mais non ! C'est la porte qui a grincé...

À la lueur de la lampe de poche, elle aperçut des ombres qui se balançaient... Le tigre-au-regard-de-feu et ses cousins s'élançaient de poutre en poutre.

— Zut... où se trouve l'interrupteur pour allumer la lumière ? chuchota Sidonie.

À ce moment-là, elle entendit une voix bizarre qui répétait :

— Pa ti pou ti po ti pette !
Tout au fond de sa cachette !
Pa ti pou ti po ti pette !
La lumière ne marche pas...
et c'est bien mieux comme ça !

Sidonie fronça les sourcils :

— Tigre-au-regard-de-feu, est-ce toi qui parles ?

— Pas du tout ! fit la voix. Je suis horriblement vexé d'être confondu avec un tigre… Il est vrai que je suis rayé de noir et d'orange ; mais je n'ai ni pattes, ni queue !

Qui donc parlait ? Sidonie dirigea le faisceau de la lampe droit devant elle… et elle découvrit une forme allongée qui se tortillait :

— Ça alors ! s'écria la petite fille. Un polochon qui bouge et qui cligne des yeux !

— Pardon ! Pardon ! protesta la forme étrange. Pardon ! Je ne suis pas un vulgaire polochon !

Pa ti pou ti po ti pette !

Je suis un polochon-à-ressort !

Pa ti pou ti po ti pette !

Je bondis sans un effort !

La petite fille se mit à rire :

— Un polochon-à-ressort ? Je n'ai jamais vu ça…

Vexé, le polochon s'allongea et ferma les yeux. Rrron pchchch… rrron pchchch…

Sidonie s'approcha :

— Tu ne dors pas ! s'amusa-t-elle. Pour faire semblant de dormir, il faut respirer doucement, ne pas avaler sa salive et surtout ne pas bouger les paupières !

— C'est vrai ? s'étonna le polochon-à-ressort.

— Bien sûr ! affirma la petite fille.

C'est ainsi que Sidonie fit la connaissance de monsieur Cabochon.

C'était un polochon particulièrement malin. Il avait plus d'un tour dans sa poche de pantalon : il connaissait même des formules magiques et des histoires à mourir de rire !

Maintenant, Sidonie ne s'ennuyait plus jamais le mercredi : elle allait rejoindre monsieur Cabochon, tout là-haut dans le grenier.

Malheureusement, la pile de la lampe de poche était presque usée et Sidonie avait beaucoup de mal à attraper la clef en haut du buffet, puis à la remettre à la fin de la journée.

Heureusement monsieur Cabochon trouva enfin la solution : il découvrit le double de la clef dans un tiroir du grenier :

— Pa ti pou ti po ti pette !

Plus besoin de s'inquiéter !

Pa ti pou ti po ti pette !

L'escalade est terminée !

— Et la lampe ? demanda la petite fille.

— Apprends à te diriger dans le noir, conseilla le polochon-à-ressort.

Trois mois s'étaient écoulés depuis la rencontre de Sidonie et du polochon-à-ressort. Un jour, la petite fille dit à son ami :

— J'ai une question très importante à te poser.

— Pa ti pou ti po ti pette !

Pose ta question !

Pa ti pou ti po ti pette !

Parole de Cabochon,

je trouverai la solution !

Sidonie baissa la voix :

— As-tu déjà vu le tigre-au-regard-de-feu ?

Le polochon-à-ressort fit trois bonds sur place et il répondit :

— Pa ti pou ti po ti pette !

Oh la sale bête !

Pa ti pou ti po ti pette !

Qu'il reste dans sa cachette !

Bien sûr... Je l'ai déjà rencontré : c'est mon pire ennemi ! Avec son regard de feu, il détruit tous ceux qu'il rencontre...

La petite fille croisa les bras : il fallait se débarrasser de ce tigre dangereux !

— Où se trouve sa cachette ? demanda-t-elle.

— Dans une grotte derrière la gare... Tu n'as pas l'intention de t'y rendre ? s'inquiéta monsieur Cabochon.

— Si ! fit Sidonie.

De nouveau, le polochon-à-ressort bondit trois fois sur le plancher :

— Pa ti pou ti po ti pette ! Tu es complètement folle ! Pour combattre le tigre-au-regard-de-feu... il faut savoir faire beaucoup de choses, par exemple des galipettes silencieuses !

— Je sais ! s'écria Sidonie.

Elle roula aussitôt par terre sans un bruit.

Monsieur Cabochon hocha la tête et poursuivit :

— Il faut savoir faire le tour d'une pièce à cloche-pied...

— Je sais ! dit Sidonie.

Et elle sautilla dans le grenier, d'abord sur le pied droit... et puis dans l'autre sens, sur le pied gauche.

Le polochon-à-ressort continua :

— Il faut aussi répéter sans se tromper :
PA TI POU TI PO TI PETTE !
PERLIPOPETTE ET CACAHUÈTE !

— Pa ti pou ti po ti pette ! Perlipopette et cacahuète ! fit Sidonie ravie.

Monsieur Cabochon semblait fier de son amie. Mais il y avait d'autres épreuves.

— Il faut se diriger dans le noir, ajouta-t-il.

— Oh, depuis que la lampe de poche

ne marche plus, j'y arrive très bien, affirma la petite fille.

— Et savoir écouter une histoire drôle sans rire, ajouta le polochon-à-ressort. Il faut que tu t'entraînes !

— D'accord, dit Sidonie.

Toute la journée, monsieur Cabochon raconta à la petite fille les histoires les plus folles, les plus drôles de la terre. Au début, Sidonie éclatait de rire dès les premiers mots. Puis peu à peu, elle apprit à serrer les dents et à ne plus dire le moindre « hihihi ! », ni le moindre « haha ! ».

— C'est bien ! dit le polochon-à-ressort. Mercredi prochain, je t'emmènerai dans la cachette du tigre-au-regard-de-feu !

La semaine parut interminable.

Sidonie comptait les jours et les nuits qui la séparaient de la dangereuse rencontre. Plus mercredi se rapprochait, plus elle avait peur.

Tous les soirs avant de s'endormir, elle s'entraînait le mieux possible, imaginant les yeux rouges du tigre-au-regard-de-feu.

Enfin, ce fut mercredi ! Monsieur Cabochon attendait Sidonie, comme promis.

— Tu n'as pas peur ? demanda-t-il.

— Si... avoua la petite fille.

— C'est normal ! Pa ti pou ti po ti pette ! Maintenant, nous allons descendre chez toi...

Monsieur Cabochon chercha une fenêtre ouverte : celle de la salle à manger convenait parfaitement. Il réfléchit :

— La grotte est à trois kilomètres d'ici... Je vais donc faire trois bonds de un kilomètre chacun. Pa ti pou ti po ti pette ! J'espère que tout se passera bien.

Puis il ordonna à Sidonie de s'asseoir sur son dos et de répéter la formule magique-qui-empêche-de-tomber :

— Fée carabosse, plus de cabosse ! Pa ti pou ti po ti posse !

— Fée carabosse ! Plus de cabosse ! Pa ti pou ti po ti posse ! fit la petite fille.

Cabochon prit son élan et s'élança par la fenêtre.

Hop : il rebondit une première fois sur le toit de la mairie ! Hop : une deuxième fois dans le bac à sable du jardin public... et il atterrit derrière la gare, devant l'entrée d'une grotte.

— C'est là, dit-il. Suis-moi sans un mot.

La grotte était très sombre. Heureusement Sidonie se dirigeait maintenant dans le noir, aussi bien qu'un chat.

Grrr ! Un énorme rugissement se fit entendre... Un tigre gigantesque, aux yeux rouges comme le feu, s'élança vers la petite fille.

— Pa ti pou ti po ti pette ! Trois galipettes ! ordonna monsieur Cabochon.

La petite fille roula immédiatement sur le sol et le tigre n'attrapa que du vent.

— Grrr ! Qui ose venir dans ma caverne ? gronda-t-il.

— M... Moi ! bredouilla Sidonie.

Le tigre se calma un peu : ah c'était une petite fille... Bon ! Il ne la croquerait pas tout de suite ! Il lui laisserait le temps de parler...

— Si tu sautes à cloche-pied, je te donnerai une chance, grogna le tigre-au-regard-de-feu.

— Je sais ! s'écria Sidonie qui fit aussitôt le tour de la grotte sur le pied droit.

Le tigre cligna des yeux : cette gamine qui savait tout faire commençait à l'énerver.

— Connais-tu le mot de passe ? demanda-t-il de sa grosse voix.

— Pa ti pou ti po ti pette ! Perlipopette et cacahuète ! répondit Sidonie en tremblant un peu.

Le tigre-au-regard-de-feu poussa un rugissement terrible :

— Grrr ! Si tu connais le mot de passe, c'est que tu es venue avec mon pire ennemi !

Le polochon-à-ressort bondit hors de la cachette et il cria :

— Exact ! Je te provoque en duel ! Mais avant le combat, je vais d'abord te raconter une histoire...

Monsieur Cabochon raconta alors une histoire drôle, mais drôle ! Une vraie histoire à mourir de rire ! Dans son coin, Sidonie serrait les dents... Le tigre, lui, gloussait tant qu'il pouvait :

— Grrr ho ho ho ! Grrr ha ha ha ! Grrr hi hi hi !

Il riait comme un fou en se tordant dans tous les sens. Il rit même si fort qu'il ne put plus respirer et qu'il s'écroula mort sur le sol de la grotte !

— Pa ti pou ti po ti pette !

Oh la sale bête !

soupira monsieur Cabochon.

Pa ti pou ti po ti pette !

Qu'il reste dans sa cachette !

Le polochon-à-ressort fit alors signe à Sidonie de remonter sur son dos. Il prit son élan et il rejoignit en trois bonds la fenêtre de la salle à manger.

— Tes parents ne vont plus tarder à rentrer, murmura-t-il. Je remonte au grenier... Et surtout, n'avoue jamais que tu as vraiment rencontré le tigre-au-regard-de-feu !

— De toute façon, on en est bien débarrassés ! dit Sidonie.

Maintenant, quand elle entend des grincements, des chuchotements, des bruits de griffes et de pattes pendant la nuit, Sidonie sait bien que c'est son ami le polochon-à-ressort qui fait sa gymnastique, car le tigre-au-regard-de-feu... Pa ti pou ti po ti pette ! il est resté dans sa cachette !

Le fantôme
qui n'aimait pas
les courants d'air

Ann Rocard
Illustrations de Patrick Royer

Tom-tom était un fantôme discret et poli. Il habitait dans un placard secret du palais du président de la République.

Comme Tom-tom ne faisait aucun bruit, on ne l'avait jamais remarqué.

Un jour, un nouveau Président arriva. Monsieur Sancho Potofeu avait toujours chaud. Il faisait de grands gestes, il bouillonnait, il transpirait et il répétait sans arrêt :

— On étouffe ici ! Fermez les radiateurs ! Ouvrez les fenêtres !

Le fantôme n'en revenait pas : quel remue-ménage !

— Je ne vais pas pouvoir dormir de la journée, soupira-t-il.

Mais il y avait pire : Tom-tom détestait les courants d'air. Le vent, qui s'engouffrait sous son drap, le faisait frissonner de la tête aux pieds.

Le premier jour, il tremblota.

Le deuxième jour, il grelotta.

Le troisième jour, il se mit à éternuer : atchoum ! à éternuer : atchoum ! à éternuer : atchoum ! tellement fort que dans le palais du Président, les rideaux s'envolèrent, les chaises tombèrent à la renverse, les tables se mirent à danser toutes seules et les feuilles de papier se transformèrent en avions... Une vraie catastrophe !

Les ministres ouvraient de grands yeux : le palais présidentiel était-il ensorcelé ?

Le Président ne comprenait rien. Il courait de tous les côtés en disant :

— On étouffe ici ! Fermez les radiateurs ! Ouvrez les fenêtres !

Bien sûr, quand les fenêtres furent ouvertes, les papiers s'envolèrent aussitôt dans la rue.

Le ministre de la Police ordonna immédiatement de s'armer de paniers à salade et de filets à papillons pour rattraper les feuilles-avions :

— À l'attaque ! cria-t-il.

Et tous ceux qui se trouvaient dans le palais partirent à la poursuite des papiers : déclarations d'impôts, rapports confidentiels, plans et dossiers très importants.

Dans le palais, il ne resta plus qu'un vieux chat qui avait été autrefois un danseur célèbre, un petit rat de l'Opéra.

— Enfin un peu de repos, fit le fantôme.

Il s'allongea dans son placard secret et s'endormit... Hélas ! pas pour longtemps. Sancho Potofeu revint rapidement et voulut découvrir la cause de tant de dégâts :

— Quelqu'un se cache ici ! chuchota-t-il. C'est sûrement un ennemi du pays. Cherchez-le ! Attrapez-le ! Emprisonnez-le !

Les détectives sortirent leurs loupes. Les policiers tapotèrent le moindre coin de mur du bout de leur matraque. Le maire de la capitale vint inspecter le palais.

Mais personne ne découvrit le placard secret de Tom-tom le fantôme.

Le lendemain, Tom-tom se réveilla vraiment malade : ses yeux le piquaient ; il avait des crampes partout ; il était glacé et pourtant son drap était brûlant de fièvre… Pauvre fantôme !

Pleurant, mouchant, toussant… il décida de passer une petite annonce dans le journal pour changer d'habitation.

La nuit suivante, sans se faire remarquer, il s'approcha d'un poste de téléphone :

— Allô ! Le journal *La Terre* ? C'est pour une annonce… Je vais vous la dicter : « Échangerais placard présidentiel glacé contre chambre mieux chauffée. Donner la réponse au journal. »

C'est ainsi que Tom-tom put rencontrer, quelques jours plus tard, un de ses cousins éloignés nommé Thomas.

C'était un fantôme au drap rouge qui rêvait de partir vivre au pôle Nord.

— Au pays des Esquimaux ! Mais il y fait un froid de canard, s'étonna Tom-tom.

— Je ne supporte pas la chaleur, avoua Thomas.

— Parfait ! s'écria Tom-tom. Je crois que nous allons pouvoir nous arranger, car mon placard secret ressemble à un vrai réfrigérateur.

En échange, le fantôme rouge proposa à son cousin un logement dans son superbe hôtel « trois étoiles ».

Tom-tom visita la chambre de Thomas. Elle se trouvait au fond de la cuisine d'un grand restaurant : c'était une cocotte-minute, dernier modèle, suffisamment large pour qu'un fantôme puisse y rouler son drap sans le froisser.

— Comment sont les voisins ? demanda Tom-tom.

— Il n'y a qu'une seule personne : mademoiselle Reine Tartalacrème, la cuisinière, répondit Thomas.

— Parfait, parfait, approuva Tom-tom qui détestait le bruit.

Les deux fantômes se serrèrent la pointe du drap, en signe d'accord.

Thomas, qui adorait les courants d'air, s'installa aussitôt dans le placard présidentiel et Tom-tom s'endormit avec délices dans sa cocotte-minute.

C'est ainsi que le fantôme le plus frileux de la terre quitta Sancho Potofeu, le célèbre président de la République, pour venir vivre chez une Reine… la cuisinière Tartalacrème.

Et plus jamais il… atchoum…

Plus jamais il n'éter… atchoum…

Plus jamais il n'éternua… atchoum atchoum atchoum !

Un pêcheur
sachant pêcher
doit savoir pêcher
sans filet

Ann Rocard
Illustrations de Patrick Royer

Romain Merlinus est un grand magicien. Il habite dans un petit village, au bord de la mer.

Depuis longtemps, il rêve de visiter une épave : un vieux bateau pourri qui se trouve au fond de l'eau.

Ce matin, le magicien sort de chez lui, il se dirige vers la plage et s'écrie :

— C'est pour aujourd'hui !

Il fait un temps superbe et pourtant, il n'y a personne sur le sable. Romain Merlinus se déshabille, ne gardant que son maillot. Un superbe maillot de bain, parsemé d'étoiles d'or !

Puis il saisit sa baguette magique et dit :

— Lucilusse ! Sakapusse ! Bracadabusse ! Que je sois transformé en poisson, mais pour une heure... Pas plus !

Vite, le magicien pose la baguette sur son tas de vêtements et il plonge dans l'eau... Aussitôt, Romain Merlinus devient un gros poisson en maillot de bain.

Le poisson-magicien agite ses nageoires et il nage loin du rivage... Il glisse entre les algues, il salue au passage trois crevettes coquettes et il serre la pince d'un vieux crabe.

Peu après, il rencontre une méduse qui lui dit tout bas :

— Méfie-toi ! Ne va pas par là !

— Et pourquoi ? s'étonne le poisson-magicien.

— C'est là que les pêcheurs posent leurs filets ! explique la méduse.

Mais le poisson-magicien n'écoute pas. Il s'éloigne en chantonnant :

— *Un pêcheur sachant pêcher doit savoir pêcher sans fi...* Tiens, qu'est-ce que c'est ? *Un pêcheur sachant pêcher doit savoir pêcher sans filet.* Au secours ! Que se passe-t-il ?

Plus moyen d'avancer, plus moyen de reculer ! Le gros poisson est prisonnier.

À la surface de la mer, un pêcheur est assis dans sa barque. Il tire, tire, tire sur son filet, en criant :

— Ça y est ! J'ai enfin pêché quelque chose et ce n'est pas un caillou, aussi vrai que je m'appelle Pierre ! C'est lourd, plus lourd qu'une sardine, plus lourd qu'un maquereau... Serait-ce un requin ou un cachalot ?

Pierre remonte son filet, il le dépose au fond de sa barque et il s'étonne :

— Un poisson en maillot de bain ? Incroyable ! Inimaginable ! Quand je raconterai ça à mes copains, ils ne me croiront sûrement pas !

Le pêcheur regagne le port, puis il rentre chez lui, portant le poisson-magicien sur l'épaule.

— Bon appétit ! crie la boulangère.

— Tu devrais acheter une paire de lunettes pour ton poisson ! se moque le poissonnier, un peu jaloux.

Et le facteur ajoute avec un clin d'œil gourmand :

— Ne mange pas tout ! Mets-moi quelques arêtes sous enveloppe !

Pauvre Romain Merlinus ! Il voudrait parler, il voudrait expliquer à Pierre qu'il est en train de commettre une grave erreur. Mais aucun mot ne sort de sa bouche de poisson.

Le pêcheur, ravi de sa prise, marche à grands pas. Enfin, il ouvre la porte de sa cabane et il appelle sa femme :

— Claire ! J'ai une surprise pour toi !

La femme du pêcheur accourt aussitôt et que voit-elle sur la table de la cuisine ? Une sardine ou un maquereau ? Non, un gros poisson !

— Ça alors ! s'écrie-t-elle. Depuis quand les poissons portent-ils des caleçons ?

— C'est sans doute la dernière mode sous-marine. Si nous le mangions ? propose Pierre. J'ai une faim de loup.

— Bonne idée ! approuve Claire. Je vais chercher mon grand couteau.

Le poisson-magicien roule de gros yeux ronds. Il agite ses nageoires. Il saute, il sursaute, il tressaute. Il se tortille dans tous les sens… Mais le pêcheur et sa femme ne comprennent pas. Comment pourraient-ils deviner qu'ils vont manger un drôle de magicien, transformé en poisson ?

Claire lève lentement son couteau…

Au même instant, le gros poisson

disparaît. Heureusement, le magicien avait précisé : « Que je sois transformé en poisson, mais pour une heure, pas plus ! »

La formule magique n'agit plus, et Romain Merlinus, toujours en maillot de bain, se retrouve assis sur la table de la cuisine.

— Qu'est-ce que c'est ? s'inquiète le pêcheur.

— Qu'est-ce que c'est ? répète sa femme.

— Un poisson farceur ? Un poisson facteur ? Un fiston moqueur ? bredouille
Pierre.

Sans répondre, le magicien bondit sur
le plancher et il sort de la cabane en sautillant. Il court vers la plage, tremblant
de froid et tremblant de peur.

Là, il retrouve
sa baguette, ses vêtements,
et il soupire :

— Je l'ai échappé belle. Un peu plus et je finissais ma vie dans une casserole.

Soulagé, Romain Merlinus ferme les yeux et réfléchit :

— Que font donc le pêcheur et sa femme ? Ils croyaient faire un festin et à présent, ils n'ont plus rien à manger.

Alors le magicien saisit sa baguette et décide :

— Je vais les aider. Lucilusse ! Sakapusse ! Bracadabusse ! Que chaque soir, la table de Pierre et de Claire se couvre de mets délicieux !

Depuis ce jour-là, le pêcheur et sa femme vivent heureux dans leur petite cabane. Pierre est devenu un pêcheur sachant pêcher sans filet.

Et Romain Merlinus ? Il a pris une sage décision :

— À partir d'aujourd'hui, je ne mangerai plus de poisson, ni sardine ni requin, parole de magicien ! Je lève la main droite et je dis : je le jure !

L'ogre Zidore et la petite Zita

Dolorès Mora
Illustrations de Évelyne Rivet

Zidore s'est installé avec sa femme Hortense dans la rue Ratapoil. Dans l'immeuble, personne ne les connaît, personne ne sait que Zidore est un ogre, et tous les locataires leur ont souhaité la bienvenue. Zita, la fille de la concierge, leur a dit poliment :

— Bonjour, Madame ! Bonjour, Monsieur !

Dans sa vie, Zidore a dévoré tant d'enfants que maintenant, c'est un gros ogre bedonnant qui souffle en marchant. Quand il s'assoit, la fermeture éclair de son pantalon se défait, ses boutons de chemise sautent et les coutures de sa veste se déchirent. Hortense en a assez de réparer ses habits.

Quelques jours après leur installation, Hortense l'attrape :

— Zidore, nous commençons une nouvelle vie. Tu vas arrêter de manger des enfants, au moins tu maigriras. Je te préviens, je ne recoudrai plus jamais tes affaires et je veux vivre en paix avec les voisins.

Hortense appelle le docteur, qui ausculte l'ogre.

— Vous êtes obèse, monsieur Zidore. Vous vous nourrissez sûrement très mal. Voyons, que mangez-vous ?

— Euh... Euh... C'est-à-dire que... commence Zidore, très embêté. Voilà : j'aime beaucoup la chair fraîche !

Le docteur sursaute.

— Oui, se dépêche d'expliquer Hortense, mon mari adore la chair à saucisse et je lui prépare souvent des tomates farcies.

Rassuré, le docteur sourit :

— La chair à saucisse, c'est délicieux mais ça fait grossir. Monsieur Zidore, vous allez suivre un régime : des pilules, des légumes, pas de viande, beaucoup d'eau et un peu de gymnastique !

Zidore maigrit. Comme il n'abîme plus ses habits, Hortense est ravie.

— Regarde-toi dans la glace, mon Zidore, dit-elle tendrement. Tu es aussi mince qu'à vingt ans.

C'est vrai. Pourtant, l'ogre regrette de ne plus manger de petits enfants et il pousse des soupirs à fendre l'âme.

Un jour, Hortense dit à son mari :

— Zidore, si tu allais à l'épicerie acheter un chou et des carottes ? Je te ferai un genre de potée sans viande.

L'ogre s'en va et il rencontre Zita qui joue à l'élastique dans l'entrée de l'immeuble.

— Bonjour, Monsieur ! dit-elle poliment.

— Euh… Bonjour, petite ! répond l'ogre.

Hé, hé ! Il jette un coup d'œil à droite, puis à gauche.

Personne en vue ! Gloup ! Il avale Zita et son élastique d'un coup. Ensuite, il fait ses courses et rentre. Oui mais voilà ! Zidore est de nouveau un gros ogre bedonnant qui souffle en marchant. Il a avalé Zita si goulûment qu'il a le hoquet. La fermeture éclair de son pantalon se défait, ses boutons de chemise sautent et les coutures de sa veste se déchirent.

Aïe ! Que va dire Hortense ! L'ogre pose les commissions sur la table et il court se cacher derrière le double rideau.

Sa femme le découvre :

— Zidore ! Que s'est-il passé ? Tu es énorme !

— Hic ! Hips ! dit-il.

Elle se met en colère :

— Je suis sûre que tu as encore fait l'ogre ! Nous sommes beaux ! Dorénavant, tu ne sortiras plus jamais seul !

Tout à coup, on frappe violemment à la porte :

— Ouvrez !

Hortense obéit. C'est la concierge. Elle crie :

— Ma fille a disparu et le perroquet répète sans arrêt : « Zidore, crache Zita et l'élastique ! » Rendez-moi ma fille, espèce d'ogre !

L'ogre regarde le bout de ses pantoufles. Sa femme essaie de rassurer la concierge :

— On va trouver une solution. Écoutez ce hoquet : mon mari a juste avalé Zita sans la mâcher.

Hortense fait venir le docteur.

— Je vais ouvrir le ventre de votre mari, dit-il. Il ne vous restera plus qu'à le recoudre.

— Il n'en est pas question ! s'écrie Hortense. Je ne veux plus jamais coudre. Je t'avais prévenu, Zidore !

— J'ai une idée ! s'exclame la concierge. Mon mari est grutier. Je suis sûre qu'il va pouvoir faire quelque chose.

L'ogre Zidore est descendu dans la rue Ratapoil. Tandis que les copains de Zita se moquent de lui, la grue le soulève par les bretelles.

La tête en bas, les pieds en l'air, il recrache la petite fille et son élastique.

Elle tombe dans la couverture que tiennent les pompiers.

— C'est malin de m'avoir avalée. Maintenant, mes habits sont froissés, imbécile ! dit-elle à l'ogre.

Le temps a passé...

L'ogre a tellement eu le vertige au bout de la grue, il a eu tellement honte d'être hué par les enfants de la rue Ratapoil et Hortense l'a tant disputé qu'il est dégoûté pour toujours de la chair fraîche. Il paraît qu'à présent il ne mange que des légumes : les voisins et leurs enfants en sont bien contents !

La bosse
à
souhaits

Marie-Sabine Roger
Illustrations de Évelyne Rivet

Il était une fois, dans un royaume très loin d'ici, un roi des plus antipathiques, méchant et prétentieux, et très avide de pouvoir.

Tout le monde le détestait mais tout le monde lui obéissait, car à ceux qui n'obéissaient pas, il taillait les oreilles en pointe.

Or dans son royaume, dans un tout petit village des montagnes, vivait un petit bossu qui avait d'étranges pouvoirs.

Il lui suffisait de toucher sa bosse en disant : « Bosse, ma bosse, fais ce qui doit être fait ! » pour qu'instantanément se réalise ce qu'il demandait.

C'était un fort gentil bossu, aimable avec tout le monde, et tous ses voisins l'adoraient.

De temps en temps, l'un ou l'autre des villageois venait dans sa petite maison, et demandait :

— Bossu, si tu pouvais faire que mes récoltes soient bonnes cette année...

Ou alors :

— J'ai été bien fatiguée cet hiver, si tu pouvais faire que ma santé s'améliore.

Et touchant sa bosse et disant sa formule, le petit bossu donnait à celui-ci du bon blé doré, à celle-là une santé plus vigoureuse, à cette autre de beaux enfants, et ainsi suivant les désirs de chacun.

Or il advint que le roi entendit parler du petit bossu et de ses pouvoirs magiques.

Un beau matin, alors que Rondebosse le bossu était en train de déjeuner, on frappa violemment à la porte.

— Ouvrez ! Ordre du roi !

Repoussant son bol de corn flakes, le petit bossu alla ouvrir, la serviette autour du cou. Sur le seuil se tenaient deux grands et gros soldats armés de piques, d'épées, d'arquebuses, de couteaux, de masses d'armes, d'épieux et de toute une quincaillerie.

— Suis-nous ! C'est un ordre du roi ! Et vite !

Le bossu posa sa serviette, rangea sa bouteille de lait dans le réfrigérateur, et montant sur sa mule il suivit les soldats du roi.

Arrivé au château, le roi le reçut dans la grande salle, assis sur son trône, avec à sa droite son premier ministre, qui ne rêvait que de renverser le roi pour prendre sa place, et à sa gauche son fils, le prince Harold, qui ne rêvait que de prendre la place de son père pour faire enfin régner la justice.

— On m'a dit, bossu, que tu avais des pouvoirs. Est-ce vrai ?

— Ce n'est pas faux, Sire.

— Peux-tu réaliser tout ce que je te demanderai ?

— Seulement trois souhaits, Sire.

— Trois ? C'est peu ! dit le roi en faisant la grimace.

Et il se mit à réfléchir.

— Bien, dit-il enfin. Je veux que tu transformes en cochons tous ceux qui me détestent !

— Tu es sûr de vouloir cela ? demanda le bossu d'une voix douce.

— Un roi est toujours sûr !

Le bossu toucha sa bosse, et murmura :

— Bosse, ma bosse, fais ce qui doit être fait.

Et plof ! Tous les gens qui se trouvaient dans la salle furent transformés en cochons !

Stupéfait, le roi regarda tout autour de lui, puis courant à son donjon il monta au sommet : d'aussi loin qu'il pouvait voir, il n'y avait plus un seul homme, plus une seule femme dans son royaume. Rien que de gros cochons roses qui faisaient pipi partout en poussant des « groiiink ! groiiink ! » stridents.

Le roi retourna en courant dans la salle du trône, et s'adressant au bossu d'une voix très en colère (mais aussi très essoufflée) :

— Bo... Bossu ! Tu... Tu t'es mo... moqué de moi !

— Point du tout, Sire. Vous m'avez demandé de transformer en cochons tous ceux qui vous détestaient. Ainsi a été fait.

— Et toi ? Pourquoi n'es-tu pas gras et rose avec un groin à la place de ton vilain nez ?

— Parce que je ne déteste personne, Sire.

Le roi réfléchit encore.

— Bien. Je voulais seulement savoir si tu étais un vrai magicien. Défais ce que tu viens de faire !

— Bosse, ma bosse, défais ce qui doit être défait... dit le bossu.

Et tous les cochons se transformèrent de nouveau en ministres ou en paysans.

— Un roi n'a nul besoin d'être aimé, dit le roi. Il suffit qu'il soit craint ! Par contre, il me faut me débarrasser de ceux qui veulent ma place. Bossu, transforme en statues ceux qui veulent ma place !

— Bosse, ma petite bosse, fais ce qui doit être fait, dit le bossu.

Et plof ! Le ministre à droite du roi, et le prince Harold, à gauche du roi, se retrouvèrent transformés en statues, aussi immobiles que des potiches.

Le roi fit une très vilaine grimace, et se retrouva fort vexé.

— Bien, bien ! grommela-t-il en essayant de sourire (car il ne voulait pas avoir l'air ridicule), je crois que tu t'es encore moqué de moi, bossu !

— Point du tout, Sire. J'ai transformé en statues ceux qui veulent votre place !

— Hem, hem ! toussota le roi. Ma foi, il est normal qu'un fils veuille succéder à son père. Quant à mon ministre, c'est un mauvais ministre, et je vais de ce pas le faire enfermer dans ma prison ! Défais ce que tu viens de faire !

— Bosse, ma bosse, défais ce qui doit être défait, prononça le bossu en touchant sa bosse.

Et de nouveau le prince Harold et le ministre purent bouger et respirer. On emmena le ministre en prison, et le prince fut privé de goûter et envoyé dans sa chambre.

— Bien, dit le roi. Il me reste encore un souhait, je crois ?

— Oui, Sire, c'est le dernier. Mais attention, ce qui sera fait là ne pourra pas être défait...

— Ah, je l'espère bien ! Car voici ce que je désire : que l'on veuille prendre ma place est une chose, mais si j'ai un ennemi vraiment dangereux, il me faut m'en débarrasser. Aussi tu vas transformer en... (et ce disant il cherchait des yeux un objet qui lui donne une idée, puis voyant le gros coussin sur lequel il posait ses pieds, il continua), tu vas transformer en coussin l'homme le plus cruel, le plus antipathique et le plus avide de pouvoir de mon royaume !

— Tu es certain de vouloir cela ? demanda le bossu.

— Un roi est toujours certain ! dit le roi.

— Bosse, ma bosse, fais ce qui doit être fait ! dit le bossu avec un petit rire.

Et plof ! Le roi se trouva transformé en un gros coussin chamarré. Et du coussin sortait une voix furieuse (mais étouffée) qui disait :

— Tu t'es moqué de moi, bossu ! Tu t'es moqué de moi !

— Point du tout, Sire ! répondit le bossu en prenant le coussin sous son bras, et il rentra chez lui sur sa petite mule.

Le prince Harold prit la place de son père, et fut un roi point trop mauvais.

Quant au bossu, lorsqu'on venait le voir et qu'on le complimentait sur le fort beau coussin sur lequel il posait ses fesses, il répondait en souriant :

— Pour sûr, il est beau ! C'est vraiment un coussin royal !...

Le petit navire

Béatrice Rouer
Illustrations de Évelyne Rivet

C'est l'histoire d'un marin très gentil qui n'aimait qu'une chose, la mer !

Et encore plus, pour aller sur la mer, les bateaux !

C'est pourquoi il avait voulu s'en fabriquer un, de bateau, pas très grand, mais très très beau.

Il y avait mis tout son cœur, il y avait mis tout son temps pour le faire beau, son bateau.

Quand il eut fini, le marin vit que c'était réussi. Alors, il fut content et il dit :

— Joli petit bateau, il est temps de te mettre à l'eau.

Mais le bateau s'étira, ouvrit un œil, ouvrit la bouche et parla :

— Non !

— Quoi ? Comment ça, non ?

— Écoute-moi, gentil marin, tu m'as fabriqué de tout ton cœur et avec tout ton temps. Tu penses maintenant que je suis prêt à flotter, mais moi, j'ai peur de nager.

— Enfin, c'est bien connu, tous les bateaux savent nager.

— Pas moi. Moi je ne veux pas aller dans l'eau.

Alors le gentil marin eut une idée :

— Je vais te faire des bouées, comme ça tu seras sûr de flotter.

Et il commença à fabriquer quatre bouées énormes pour son petit bateau. Il y en avait une jaune, en forme de canard, une autre rose fluo et deux gros brassards à placer sur la quille et à l'avant du navire.

Avec ça, le petit bateau se sentit rassuré et tout se passa bien quand le gentil marin le poussa dans l'eau. Au bout d'un moment même, il dit :

— Je suis vraiment content, c'est si amusant de flotter et d'avancer sur la mer.

Alors ils partirent, le gentil marin et le petit navire, loin, très loin, sur la mer...

Tout à coup, le petit navire s'écria :

— Là, là, voilà des requins, et ils ont l'air d'avoir très faim.

— Ce n'est rien, dit le gentil marin, tu sais, les requins ne mangent pas les bateaux.

Mais les requins virent la bouée en forme de canard. Ils pensèrent : « Miam, c'est sûrement très bon » et clac, d'un bon coup de dents, les requins la firent éclater !

— Au secours ! Au secours ! Je vais me noyer, cria le petit bateau.

— Mais non, ce n'est rien, lui dit le gentil marin. Tu vois bien, il te reste ton autre bouée et tes deux brassards pour flotter.

Alors, ils repartirent, le gentil marin et le petit navire…

Et là-bas, tout au bout, ils virent une île, une île jaune avec un palmier dessus. Mais tout autour de l'île, il y avait de gros rochers, pointus, aigus, coupants, méchants…

Le petit bateau s'en approcha un peu trop, et les rochers firent éclater sa belle bouée rose fluo.

— Au secours ! Au secours ! Je vais me noyer, cria le petit bateau.

— Mais non, ce n'est rien, lui dit le gentil marin, tu vois bien, il te reste tes deux brassards pour flotter…

Alors, ils repartirent, le gentil marin et le petit navire…

Mais soudain, de là-bas, du bout du ciel, de gros nuages noirs approchèrent, avec de très méchantes grimaces. Et le vent les poussait, vite, très vite, encore plus vite. C'était une vraie tempête. Les vagues aussi se fâchèrent et le gentil marin et le petit navire étaient ballottés, secoués, transportés, trimbalés, en haut,

en bas, en bas, en haut et encore et encore…

Puis, tout se calma, le vent et les nuages, les vagues et le roulis. La mer était redevenue bleue, le ciel aussi.

Alors, le gentil marin et le petit navire rirent de la tempête, ils étaient prêts à repartir…

Mais brusquement, le petit navire hurla :

— Mes brassards ! Ils sont partis ! La tempête les a emmenés. Au secours ! Au secours ! Je vais me noyer !

— Mais non, regarde, gros bêta, tu sais nager sans bouée. Maintenant, tu es devenu grand, bravo mon beau petit bateau !

Alors ils repartirent, le gentil marin et le petit navire, loin, très loin, sur la mer…

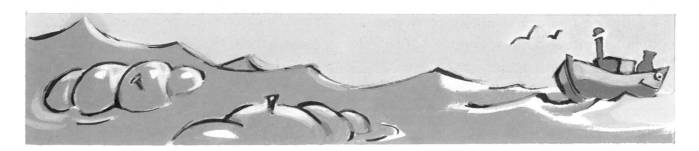

Klaxon
le canard

Ann Rocard
Illustrations de Évelyne Rivet

Dans la mare, les canards s'éclaboussent à qui mieux mieux. Les canetons jouent à cache-cache entre les roseaux. D'autres sommeillent au bord de l'eau.

Soudain une vieille cane rousse agite ses plumes douces :

— Coin coin ! Venez tous ! Nous rentrons à la maison !

— Coin coin ! répondent ses canetons.

Tous les canards de la mare sont repartis chez eux. Mais qui reste caché derrière les roseaux ? C'est Klaxon, le petit canard.

Plouf ! Il saute au milieu de la mare, parmi les nénuphars.

Klaxon ferme les yeux. Quand il est seul, il est heureux !
Dans la cour de la ferme, tout le monde se moque de lui :

— Ouh Klaxon ! Il ne sait pas faire coin coin !

— Ouh Klaxon ! Il ne sait pas cancaner ! Il ne fait que klaxonner !

C'est pourquoi Klaxon s'amuse tout seul quand les autres canards sont partis. Et il préfère aussi se taire pour qu'on ne se moque pas de lui. Il ne dit plus jamais rien : ni le soir, ni le matin, plus de tut tut ni de coin coin !

Un jour, monsieur Poirier, le fermier, est bien ennuyé. Il doit se rendre en ville dans sa grosse voiture rayée... Mais son klaxon, son vrai klaxon est complètement cassé.

Alors le petit canard a une idée. Il prend son élan et il s'assied près du volant en lançant des tut tut ! aussi fort qu'il peut.

— Tut tut ! C'est moi, Klaxon. Tut tut ! Le plus beau de tous les klaxons !

Monsieur Poirier, ravi, éclate de rire et il décide de ne pas faire réparer son vieux klaxon cassé.

Depuis ce jour-là, les autres canards de la basse-cour essaient tous d'imiter le drôle de klaxon : coin pouet ! coin zut ! coin flûte ! coin patapouet !

Mais aucun d'eux, ça c'est sûr, n'y arrivera jamais !

Le dragon a des boutons

Ann Rocard
Illustrations de Évelyne Rivet

Cornichon est un gros dragon, un énorme dragon.

Ce matin, il se réveille fatigué, fatigué, fatigué… et il sort de son lit.

Il se regarde dans la glace et que voit-il sur son front ? Deux boutons, deux affreux boutons tout bleus.

Alors Cornichon va chez sa voisine et il lui dit :

— Je suis le terrible dragon !

La voisine, madame Caroline, se met à trembler.

Et Cornichon ajoute :

— J'ai deux boutons, deux affreux boutons tout bleus. Soigne-moi vite ! Je le veux !

Aussitôt, madame Caroline court dans sa cuisine. Elle prépare du jus de citron, un gâteau de champignons couvert de petits bonbons.

Cornichon ouvre sa grosse bouche, son énorme bouche de dragon et il avale tout d'un seul coup.

Mais : Pop ! Pop ! Voilà deux autres boutons… Pop ! Pop ! sur son menton.

Alors Cornichon va chez le docteur et il lui dit :

— Je suis le terrible dragon !

Le docteur, monsieur Napapeur, se met à trembler.

Et Cornichon ajoute :

— J'ai quatre boutons, quatre affreux boutons tout bleus. Soigne-moi vite ! Je le veux !

Aussitôt, le docteur court vers son placard. Il prépare du sirop vert et blanc, de la pommade, des médicaments, et un chiffon rempli de petits glaçons.

Cornichon ouvre sa grosse bouche, son énorme bouche de dragon et il avale tout d'un seul coup.

Mais : Pop ! Pop ! Pop ! Pop ! Voilà quatre autres boutons… Pop ! Pop ! Pop ! Pop ! sur sa tête de dragon.

Alors Cornichon va derrière l'école et il se met à pleurer.

Une petite fille s'approche :

— Bonjour ! Je m'appelle Isabelle. Qui es-tu ?

— Je suis le terrible dragon !

Et Cornichon ajoute :

— J'ai huit boutons, huit affreux boutons bleus. Soigne-moi vite ! Je le veux !

— Tu n'es pas très poli, dit Isabelle.

Cornichon est très étonné :

— Tu ne trembles pas ? Tu n'as pas peur de moi ?

La petite fille hoche la tête :

— Oh non ! Je n'ai pas peur d'un dragon qui a des boutons.

Isabelle sort de son cartable du bacadi-bacadon.

Cornichon ouvre sa grosse bouche, son énorme bouche de dragon et il avale tout d'un seul coup.

Aussitôt : Pop ! les boutons s'en vont. Pop ! les affreux boutons tout bleus.

Cornichon est très heureux. Il ne dira plus jamais : « Je suis le terrible dragon ! » car il a peur, très peur que ça lui donne des boutons !

La folle nuit des marionnettes

Ann Rocard
Illustrations de Évelyne Rivet

C'est la nuit. Pas un bruit. Derrière le castelet, les marionnettes s'éveillent. Elles remuent lentement leurs mains, leur tête et elles se frottent les yeux à qui mieux mieux…

Mamie Chocolat, grand-mère aux cheveux blancs, arrange son châle et son bonnet.

Madame Mounette dépose dans un panier d'osier une délicieuse galette et un petit pot de beurre. Un chasseur astique son fusil en plastique. Un gros loup brosse son épaisse fourrure et s'asperge de parfum.

Et une petite fille, vêtue de rouge, regarde tranquillement un livre d'images : « Le Petit Chaperon rouge ».

Soudain le chasseur propose :

— Si nous répétions notre spectacle ?

— Ma galette est prête, répond madame Mounette.

— J'ai justement une faim de loup, grogne le loup.

— Quand tu voudras, dit Mamie Chocolat.

Mais dans son coin, la petite fille secoue la tête :

— Je ne suis pas d'accord !

— Quoi ? s'exclament les autres marionnettes, surprises.

Le Petit Chaperon rouge ronchonne : c'est toujours la même chose ! La galette, le beurre, le panier, le bonnet rouge… Elle préférerait porter une couronne en diamants ou se transformer en Belle au bois dormant. Les marionnettes étonnées s'approchent de la petite fille qui soupire :

— Tous les jours, je dois aller voir ma grand-mère qui est malade… Depuis le temps, elle doit être guérie.

— C'est vrai ! Je suis en pleine forme ! approuve Mamie Chocolat.

Évidemment, ce n'est pas très amusant de rester couchée toute la journée au lieu d'aller se promener dans la forêt. Et pour prouver qu'elle est en bonne santé, voilà Mamie Chocolat qui pirouette et danse la polka !

Le Petit Chaperon rouge applaudit et se tourne vers sa mère :

— Toi, maman, tu prépares chaque matin une galette… Pourquoi ne pas changer de menu de temps en temps ?

C'est vrai, madame Mounette aimerait cuisiner des charlottes glacées, des tartes au citron meringuées, du poulet rôti et du galimatopirudoré à la crème chantilly ! Les marionnettes se régaleraient…

Tout à coup, le gros rire du loup retentit dans le théâtre :

— Ah, ah, ah ! Le Petit Chaperon rouge a raison ! Mille fois raison ! C'est à mon tour de me reposer… D'ailleurs, je me sens affreusement malade… J'ai mal à l'estomac à force d'être coupé, découpé, cousu et recousu… nom d'une patte velue !

Le loup enfile aussitôt un pyjama et il court s'allonger sur le lit de la grand-mère, en ajoutant :

— À la place de la galette et du petit pot de beurre, je préférerais un camem-

bert bien fait et un sandwich au pâté !
O.K. ?

Madame Mounette approuve de la tête.

Quant au chasseur, il tiraille sa moustache et fronce les sourcils, un peu inquiet : ce n'est pas du tout le texte de l'histoire… Pourtant il finit par accepter et il ordonne :

— Attention ! Attention ! La répétition va commencer !

Mamie Chocolat et le chasseur disparaissent derrière le rideau. La petite fille et sa mère vont et viennent dans la cuisine.

— Ma chérie, dit madame Mounette, tu vas aller rendre visite à ce pauvre loup qui est malade. Tu lui porteras ce panier d'osier.

Le Petit Chaperon rouge prend le panier et regarde à l'intérieur :

— Oh chic ! Mon fromage préféré ! Je peux en manger un morceau ?

— Sûrement pas ! s'écrie sa mère. Habille-toi immédiatement !

La petite fille enfile sa cape rouge et

pose sur sa tête une couronne brillante, puis elle ramasse le panier et embrasse sa mère.

— Surtout ne passe pas par la forêt, dit madame Mounette. C'est très dangereux…

— Pourquoi ? s'étonne le Petit Chaperon rouge.

Madame Mounette hésite un moment : si le loup est malade, il n'y a plus aucun danger… mais on ne sait jamais ! Alors elle répond :

— On y rencontre des limaçons, des araignées, des coléoptères, des grenouilles à chatouilles, des crapauds à gros mots, des belettes à devinettes…

La petite fille éclate de rire et interrompt sa mère :

— Ne t'inquiète pas, maman ! Je ferai bien attention aux araignées et aux limaçons !

Le Petit Chaperon rouge quitte donc sa maison. Arrivée à l'orée du bois, elle dépose son panier et sort une pièce de sa poche :

— Si c'est pile, je suis la grand-route ; si c'est face, je pénètre dans la forêt !

La petite fille lance la pièce qui retombe sur le sol, le côté face tourné vers le ciel. Sans hésiter, le Petit Chaperon rouge

s'élance sur le sentier, à l'ombre des grands châtaigniers.

Elle trottine gaiement dans le bois, quand tout à coup, des pas se font entendre. Qui marche non loin de là ? Sûrement pas un ver de terre ! La petite fille se met à trembler.

Les pas se rapprochent… Le Petit Chaperon rouge se retourne et elle aperçoit une grand-mère en survêtement, une grand-mère aux cheveux blancs !

— Bonjour mon enfant ! Je m'appelle Mamie Chocolat, reine du jogging !

— Bonjour, répond poliment le Petit Chaperon rouge.

— Où vas-tu donc, mon enfant ? demande la vieille dame.

— Je vais de l'autre côté de la forêt chez le pauvre loup qui est malade, lui porter un camembert et un sandwich au pâté.

Mamie Chocolat se pince le nez d'un air dégoûté : pouah ! Quelle mauvaise idée ! Puis souriante, elle se penche vers la petite fille et lui chuchote à l'oreille :

— Si nous faisions la course jusqu'à la maison du loup ?

— Vous savez courir ? s'étonne le Petit Chaperon rouge.

La grand-mère hausse les épaules :

— Naturellement ! J'ai même obtenu la médaille d'or du marathon aux derniers Jeux olympiques ! À vos marques. Prêts ? Partez !

Vrrroum… Comme une fusée, Mamie Chocolat file entre les arbres et les buissons. Ahurie, le Petit Chaperon rouge

la regarde disparaître, puis elle s'éloigne en sautillant sur le sentier.

Pendant que la petite fille rencontre des grenouilles à chatouilles, des crapauds à gros mots et des belettes à devinettes… Mamie Chocolat arrive sans encombre devant la maison du loup.

Après quelques mouvements de gymnastique, elle frappe vigoureusement à la porte :

— Toc toc toc !

— Qui est là ? demande le loup de sa grosse voix.

— C'est le Petit Chaperon rouge qui vous apporte un camembert et un sandwich au pâté ! répond la vieille dame.

Ravi, le loup lance la formule spéciale :

— Bire la trottinette… Heu non ! Rite la balayette… Heu non ! Tire la bobinette et la chouette s'envolera… Heu… la chèvre chantera… Nom d'une patte velue, je ne m'en souviens plus !

La grand-mère se met à rire :

— Je tire la chevillette et la bobinette cherra, c'est bien ça ?

— Tout à fait ! Tout à fait ! grogne le gros loup vexé.

Clic la chevillette ! Clac la bobinette… et la porte s'ouvre, laissant apparaître Mamie Chocolat :

— Coucou ! C'est moi !

Affolé, le loup hurle comme un fou :

— Ouh ! Ce n'est pas le Petit Chaperon rouge ! Ouh ! C'est une grand-mère… une affreuse grand-mère et je déteste les grands-mères !

Mamie Chocolat fait deux pas en avant et se frotte l'estomac : miam-miam ! Elle croquerait volontiers un loup pour son souper !

Terrifié, le gros loup saute hors de son lit. Il court autour d'un fauteuil, plonge sous la table, poursuivi par la grand-mère affamée.

Puis il s'agenouille, pleurant, mouchant, reniflant, gémissant :

— Pitié ! Je ne suis qu'un pauvre loup malade… Pitié ! Ne me faites pas de mal… je ne vous en ferai pas non plus, nom d'une patte velue !

Au même moment, quelqu'un bondit dans la pièce : c'est le chasseur, fusil en main !

Il observe le loup et la grand-mère. Tonnerre ! Que faire ? Faut-il tuer le loup ou assommer la grand-mère ? Assommer le loup ou tuer la grand-mère ? Peut-être les deux à la fois ?

Le chasseur s'apprête à tirer, quand une petite fille lui saisit le bras :

— Arrêtez, monsieur le chasseur ! Vous voyez bien que le loup n'est plus ici !

En effet, tenant son pyjama à deux pattes, le loup s'enfuit dans le bois en hurlant :

— Pitié ! Pitié ! Laissez-moi passer : j'ai priorité ! Pitié ! Pitié !

Alors le chasseur, la grand-mère et le Petit Chaperon rouge commencent à danser et à chanter :

Promenons-nous dans les bois,
pendant que le loup n'y est pas...
Pauvre loup malade, mange ta salade !
Pauvre loup velu, qu'on ne te voie plus !

Et le loup ? Il paraît qu'on ne l'a plus revu... Le lendemain, le spectacle de marionnettes n'a pas pu commencer, car le loup n'a plus voulu pointer le bout de son nez dans la forêt !

Alors le Petit Chaperon rouge a tout simplement changé de déguisement et elle s'est transformée en Belle au bois dormant.

TABLE

Lito
41, rue de Verdun 94500 Champigny-sur-Marne
Imprimé en CEE
Loi n° 49-956 du 16 juillet 1949 sur les publications destinées à la jeunesse
Dépôt légal : mai 1999